WORKBOOK

P9-ELW-955

¡Viva el Español!

Ava Belisle-Chatterjee

Linda West Tibensky

Abraham Martínez-Cruz

National Textbook Company
a division of NTC/CONTEMPORARY PUBLISHING GROUP
Lincolnwood, Illinois USA

CONTENTS

ISBN: 0-8442-0986-4

Published by National Textbook Company,
a division of NTC/Contemporary Publishing Group, Inc.,
4255 West Touhy Avenue,
Lincolnwood (Chicago), Illinois 60646-1975 U.S.A.

Nombre _____

A. You are visiting the Chiflado family, the world's best ventriloquists! Guess who is doing the talking. Beside each statement, write the name of the person or animal who probably said it, based on what you see in the picture.

| **M** | **Hugo** | Estoy en el jardín. ¡Me gustan las cerezas! |

1. _____ El tigre y yo estamos en el dormitorio.

2. _____ ¡Por fin! La mariposa está muy cerca.

3. _____ ¿Dónde está el perro? ¡Ay! ¡Qué miedo tengo!

4. _____ Estamos en la cocina. ¿Dónde está la leche?

5. _____ ¡Qué bonito está el día! Mi tortuga y yo estamos fuera de la casa.

6. _____ ¡Pobrecito! Mi pez y yo estamos en el patio. El pez tiene mucha hambre.

Nombre _____

B. Gregorio is writing sentences about his friends and neighbors. He needs your help to fill in the verbs. Use the list.

| cantar | limpiar | comer | √ buscar |
| nadar | leer | abrir | recibir |

M

Luis **busca** _____ el jugo de piña.

1.

Rudy y José _____ todos los días.

2.

Alfredo y yo _____ mucho al mediodía.

3.

Marta _____ en la biblioteca de la escuela.

4.

Juan y Nora _____ la casa.

5.

La Sra. Ruiz y Lidia _____ la puerta de la tienda.

Nombre _____

C. School board members have to save money by getting rid of a service or an activity in the school. They have made up a questionnaire for the students. How do you answer their questions?

M ¿Tus amigos y tú nadan mucho en la escuela?

Sí, nadamos todos los días. [No, no nadamos mucho.]

1. ¿Tus amigos y tú leen muchos libros de la biblioteca?

_____

2. ¿Tus amigos y tú escriben reportes en las computadoras?

_____

3. ¿Tus amigos y tú practican los deportes en el gimnasio?

_____

4. ¿Tus amigos y tú comen en el comedor de la escuela?

_____

5. ¿Tus amigos y tú cantan y bailan en el auditorio?

_____

THINK FAST! ∿∿∿∿∿∿∿∿∿∿∿∿∿∿

Circle the word in each line that does not belong.

1. sal   azúcar   jugo   pimienta

2. zanahorias   carne   guisantes   legumbres

3. helado   huevos   avena   cereal

Nombre _____

D. The students in the nurse's office are all complaining about their aches and pains. What do they say? Write a sentence saying what hurts each person.

M	Adán:	¡Ay, me duelen los pies!
1.	Lupe:	
2.	Mateo:	
3.	Judit:	
4.	Pedro:	
5.	Inés:	
6.	Hugo:	

Nombre _____

E. Your friend Manuel has come with you to shop for new clothes. Manuel has strong opinions about clothes, and he doesn't hesitate to let you know what he thinks! Write your question and Manuel's answer, based on the words given.

M el suéter / pequeño

Manuel, ¿cómo me queda el suéter?

¡Terrible! Este suéter te queda pequeño.

1. el abrigo / pequeño

_____

_____

2. los zapatos / mal

_____

_____

3. la gorra / grande

_____

_____

4. la camiseta / corto

_____

_____

5. los pantalones / largo

_____

_____

6. la camisa / pequeña

_____

_____

F. Test your powers of observation. Match the people and the sentences that describe them. Draw lines to connect them. (Careful! There are more people than sentences!)

M El señor Gómez es grueso. No tiene mucho pelo.

1. Amalia es alta. Tiene el pelo corto y rizado.

2. Javier es atlético. Tiene el pelo negro y corto.

3. La señora Ruiz es delgada. Tiene el pelo largo y lacio.

4. Diana es tímida. Tiene el pelo rubio y largo.

Nombre _____

G. Your school drama club is putting on a play, "La tribu prehistórica." What are the main characters like? Answer the questions with **el más** or **la más**.

¿Quién es la más tímida?
Mira es la más tímida.

1.

¿Quién es el más atlético?

_____

2.

¿Quién es la más bonita?

_____

3.

¿Quién es la más generosa?

_____

4.

¿Quién es el más inteligente?

_____

Nombre _____

H. Esperanza wrote two paragraphs about a typical school morning. Help her finish the paragraphs.

Una mañana típica

Mis amigas y yo _____ muy cerca de la escuela. En la mañana
(vivir)

nosotras _____ a la escuela. Los conserjes _____ las
(caminar) (abrir)

puertas a las ocho en punto.

A las ocho y media mis amigas _____ la clase de arte. Yo
(tener)

_____ la clase de ciencias. A veces _____ a la clase a las
(tener) (ir)

ocho y cuarto porque _____ ayuda con las lecciones. A mí
(querer)

_____ las ciencias, pero no _____ todas las lecciones.
(gustar) (comprender)

Los maestros siempre _____ a los alumnos con sus problemas.
(ayudar)

Nombre _____

I. Where are the people and things? Write a few sentences telling where they are, according to the pictures.

dentro de	cerca de	delante de	sobre
fuera de	lejos de	detrás de	debajo de

Pepito, Ema y la Sra. Vélez están cerca de las escaleras. Están fuera de la casa.

1.

_____

_____

_____

_____

_____

2.

_____

_____

_____

_____

_____

3.

_____

_____

_____

_____

4.

_____

_____

_____

Nombre _____

J. Sr. Fernández is an interior decorator. He wants to know how young people like to decorate their rooms. Answer his questions according to what you and your friends like.

[M] ¿A ti te gustan los colores verde y amarillo o los colores azul y rojo?

A mí me gustan los colores azul y rojo.

1. ¿A ustedes les gusta poner carteles o fotografías en las paredes?

   _____

2. ¿A ti te gustan las lámparas grandes o las lámparas pequeñas?

   _____

3. ¿A ustedes les gusta estudiar o jugar en sus cuartos?

   _____

4. ¿A ti te gustan los tocadores altos o los tocadores bajos?

   _____

K. Where do you put things in your room? Sr. Fernández would like to know. Answer according to what is true for you.

[M] ¿Tus zapatos?   **Pongo mis zapatos debajo de la cama.**

1. ¿Tus juegos? _____

2. ¿Tus calcetines? _____

3. ¿Tus carteles? _____

4. ¿Tus abrigos? _____

Nombre _____

L. Gloria is never satisfied with the lunches in the cafeteria. She always brings something to eat from home. She wants to know if other students do, too. Complete the question by using the correct form of **traer**. Then answer the question.

M Sonia, ¿qué _____**traes**_____ de tu casa?

Siempre traigo queso.

1. Jorge, ¿qué _____ de tu casa?

_____

2. Judit y Adán, ¿qué _____ de su casa?

_____

3. Ana, ¿qué _____ Daniel de su casa?

_____

4. Lucía, ¿qué _____ de tu casa?

_____

Nombre _____

M. You have to do chores before dinner, and you have to study after dinner. You want to know if other students have the same schedule. Use the words in parentheses to write your friends' answers.

M Juan y Andrés, ¿qué tienen que hacer antes de la cena?
(estudiar y poner la mesa)

Tenemos que estudiar y poner la mesa.

1. Tonia, ¿qué tienes que hacer después de la cena?
(lavar y secar los platos)

_____

2. Darío y Antonio, ¿qué tienen que hacer antes de la cena?
(regar las plantas y sacar la basura)

_____

3. Susana, ¿qué tienen que hacer tus hermanos después de la cena?
(pasar la aspiradora y escribir cartas)

_____

4. Mateo, ¿qué tienes que hacer antes de la cena?
(barrer el piso y quitar el polvo)

_____

5. Beatriz, ¿qué tienen que hacer tus hermanas después de la cena?
(¡nada!)

_____

Nombre _____

N. Graciela's best friend has moved to another town, so Graciela wants to become friends with you. What do you have in common? Answer her questions in your own words.

M Mi familia y yo pensamos ir al teatro el sábado. ¿Adónde piensan ir tu familia y tú?

Pensamos ir al mercado el sábado.

1. Mis clases comienzan a las nueve. ¿A qué hora comienzan tus clases?

   _____

2. Yo puedo patinar bien. ¿Puedes tú patinar?

   _____

3. Mi familia quiere ir a México. ¿Adónde quieren ir ustedes?

   _____

4. Almuerzo a las once y media. ¿A qué hora almuerzan tus amigos y tú?

   _____

5. Me gusta probar frutas tropicales. ¿A veces pruebas frutas tropicales?

   _____

6. No pienso hacer nada mañana. ¿Qué piensan hacer tus amigos y tú?

   _____

THINK FAST! ∿∿∿∿∿∿∿∿∿∿∿∿∿∿∿∿∿∿

How fast can you answer these questions?

1. ¿Quién es más alto — tu maestro o tú?

   _____

2. ¿Quiénes son más impacientes — las muchachas o los muchachos?

   _____

UNIDAD DE REPASO

Ñ. Saturday is clean-up day at your house. Everyone helps out. Write what each person does.

M (sacar) Roberto ___**saca**___ la basura.

1. (recoger) Ana _____ las cosas del piso.

2. (barrer) Yo _____ el piso de la cocina.

3. (lavar) Mis padres _____ las ventanas.

4. (limpiar) Jaime _____ el piso del pasillo.

5. (secar) Abuela _____ la ropa.

6. (abrir) Rosita _____ la puerta y las ventanas.

O. The Garcías invited Graciela to dinner. She's been working all day in the garden and needs to get cleaned up and ready to go. Complete the sentences with the correct form of the verbs to tell what Graciela does.

Primero, ___**se quita**___ la ropa sucia. Luego, _____
            (quitarse)   (bañarse)

y _____ . Por último, _____ y _____
   (secarse)   (peinarse)   (ponerse)

ropa limpia. Ahora _____ de la casa. Los García y ella
                   (irse)

_____ a cenar.
   (ir)

Nombre _____

P. What is your daily routine like? First, answer the questions. Then number the activities in the order in which you do them every day.

M ¿Te despiertas temprano o tarde?

Siempre me despierto temprano. _____   **1**

1. ¿Almuerzas temprano o tarde con tus amigos?

_____

2. ¿Te bañas por la mañana o por la noche?

_____

3. ¿Te acuestas temprano o tarde?

_____

4. ¿Te vas de tu casa temprano o tarde por la mañana?

_____

5. ¿Vuelves a tu casa temprano o tarde?

_____

6. ¿Te pones tu pijama tarde o temprano?

_____

Nombre _____

Q. You're explaining to the new student about the different people who work in your school and where they work. First unscramble the letters. Then write one sentence about each person's job, and a second sentence telling where they work.

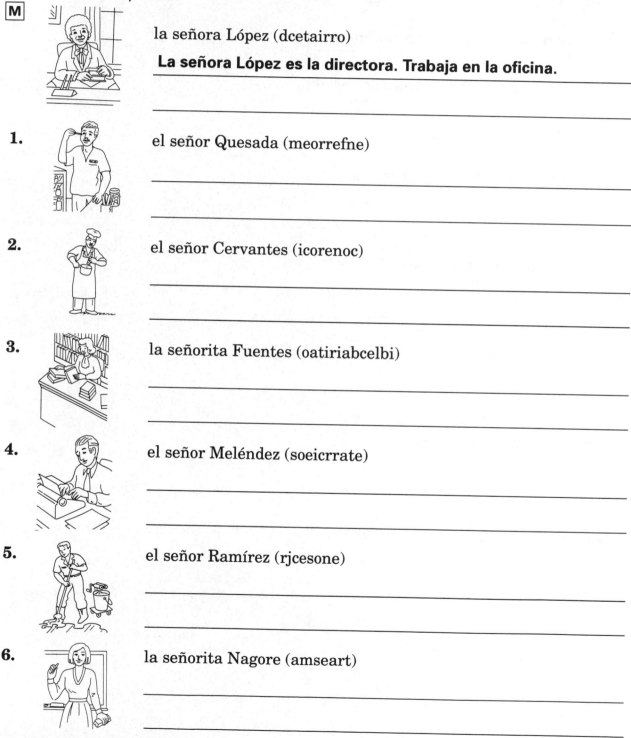

M

la señora López (dcetairro)

La señora López es la directora. Trabaja en la oficina.

_____

1. el señor Quesada (meorrefne)

_____

_____

2. el señor Cervantes (icorenoc)

_____

_____

3. la señorita Fuentes (oatiriabcelbi)

_____

_____

4. el señor Meléndez (soeicrrate)

_____

_____

5. el señor Ramírez (rjcesone)

_____

_____

6. la señorita Nagore (amseart)

_____

_____

¡Hablemos!   Nombre _____

A. You are writing about the activities that you and your friends like to do. Look at the picture, and then finish the sentence with the correct activity.

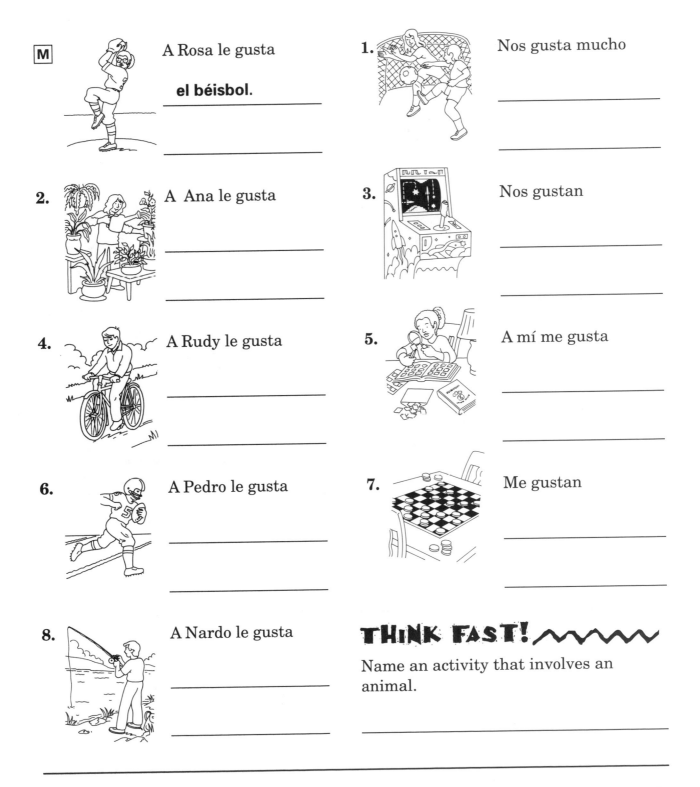

M   A Rosa le gusta

el béisbol.
_____

1.   Nos gusta mucho
_____

2.   A Ana le gusta
_____

3.   Nos gustan
_____

4.   A Rudy le gusta
_____

5.   A mí me gusta
_____

6.   A Pedro le gusta
_____

7.   Me gustan
_____

8.   A Nardo le gusta
_____

THINK FAST! ∿∿∿∿

Name an activity that involves an animal.

UNIDAD 1

¡Hablemos! Nombre _____

B. You have decided to help your friends overcome their dislikes. You've recorded things they don't like. Now make a list of what they have to do. Write a sentence with **tener que** for each item.

M A Emilio no le gusta la música.

Tiene que tocar un instrumento.

_____

1. A Laura no le gusta mirar fotografías.

_____

2. A Daniel y Rubén no les gusta la música.

_____

3. A Marta y Josefa no les gustan los animales grandes.

_____

4. A Raimundo no le gustan los peces.

_____

C. What games, sports, and pastimes do you like and dislike? Complete the two lists.

Me gusta	**No me gusta**
_____	_____
_____	_____
_____	_____

UNIDAD 1

¿Cómo lo dices?   Nombre _____

A. You and your friends are always busy. There rarely is time to just sit and talk. What do all of you do? Tell what everybody does, using the correct form of **jugar** and the name of the activity.

M

Arturo y Víctor _____ **juegan al fútbol americano.**

1.

Violeta y Dolores _____

2.

Armando _____

3.

Benito y yo _____

4.

Matilde _____

5.

Esperanza y yo _____

UNIDAD 1

Nombre _____

B. When do you and your friends play certain games and sports? Use the phrases in the list to write an answer to each question.

en la primavera	en el verano	en la noche
en el otoño	en el invierno	en la tarde

M ¿Cuándo juegan ustedes al baloncesto?

Jugamos al baloncesto en el invierno.

_____

1. ¿Cuándo juegan ustedes a los juegos electrónicos?

_____

2. ¿Cuándo juegas al fútbol?

_____

3. ¿Cuándo juegas al volibol?

_____

4. ¿Cuándo juegan ustedes al béisbol?

_____

C. What sports or games do you play well? What sports or games do you not play well? Write three sentences.

M Juego muy bien al ajedrez.
Juego muy mal al fútbol.

1. _____

2. _____

3. _____

D. Antonia and Timoteo are trying to improve themselves. They are discussing their strengths and weaknesses. Complete their conversation by writing the correct form of **ser** in each blank.

ANTONIA: Tú _____**eres**_____ un buen jugador, ¿verdad?

TIMOTEO: Sí, a veces _____ un buen jugador. Tú también

_____ una buena jugadora.

ANTONIA: Gracias, Timoteo. Nosotros _____ simpáticos, ¿verdad?

TIMOTEO: Sí. Pero a veces yo _____ un poco impaciente. Mi papá

y mi hermano _____ impacientes también.

ANTONIA: A veces yo _____ tímida. Mi amiga Lucinda

_____ tímida también.

TIMOTEO: Tú y yo _____ muy inteligentes, ¿verdad?

ANTONIA: ¡Claro que sí! Pero no _____ muy modestos.

UNIDAD 1

Nombre _____

E. Alberto is trying to write about the people in his school. Help him out by writing a complete sentence on each line using the words given.

[M] El Sr. Campos / conserje___**El Sr. Campos es conserje.**_____

Elena y yo / alumno ____**Elena y yo somos alumnos.**_____

1. La Sra. Oviedo / enfermera _____

2. Juan y Luis / jugador _____

3. Estela / jugadora _____

4. El Sr. Torres y la Srta. Cano / maestro _____

_____

5. Carla, Raúl y yo / alumno _____

_____

F. What traits do you share with a friend or with a member of your family? Are you tall? Are you generous? Are you impatient? Write five sentences.

[M] Mi amiga y yo somos inteligentes.
Mi hermano y yo somos altos y delgados.

1. _____

2. _____

3. _____

4. _____

5. _____

✏️ EXPRESA TUS IDEAS ✏️

The members of the Explorers' Club would rather be exploring or hiking or doing just about anything other than sitting in math class. What are they doing in their daydreams? Write at least eight sentences about what you see them doing in the picture.

_____

_____

_____

_____

_____

_____

_____

_____

_____

_____

Nombre _____

La Página de diversiones

Nombra la actividad

Imagine that you are on the television game show "¡Nombra la actividad!" You have five minutes to look at pictures and name the activities that go with them.

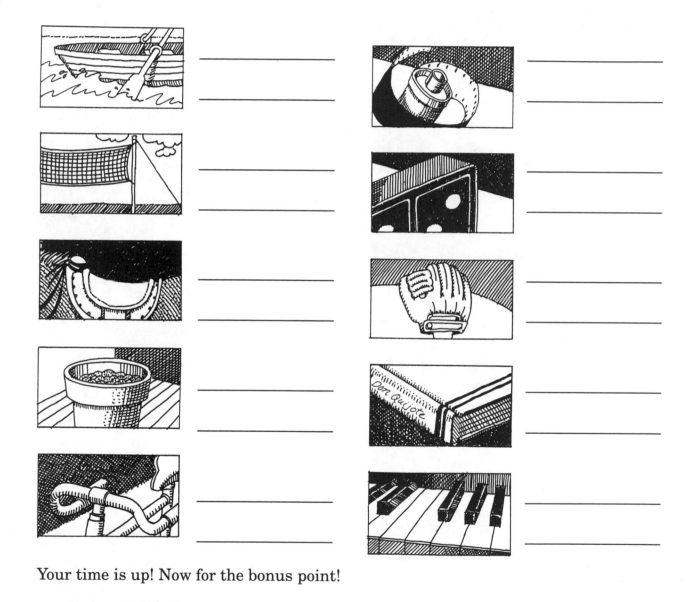

Your time is up! Now for the bonus point!

¡Hablemos!   Nombre _____

A.   Nélida has made up a game called "¿Quién soy?" She wants you to be the first to play it. For each picture, answer the question **¿Quién soy?**

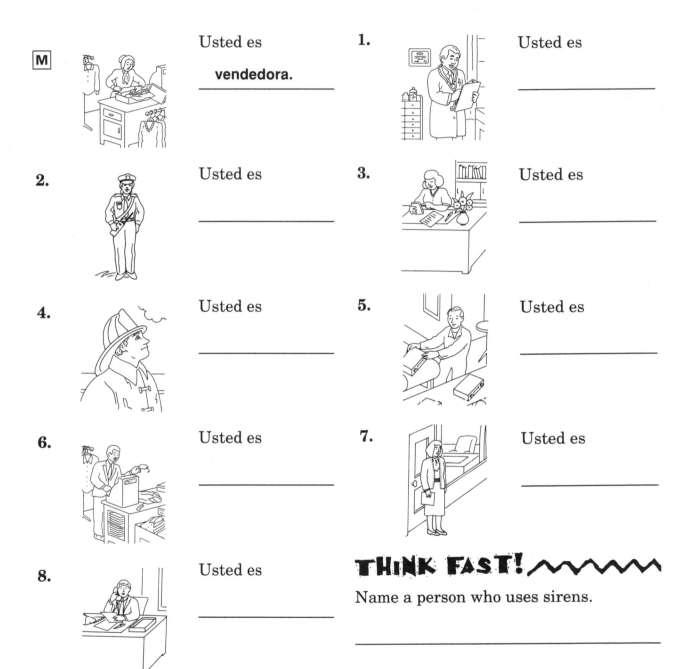

M   Usted es

 vendedora.

1.   Usted es

 _____

2.   Usted es

 _____

3.   Usted es

 _____

4.   Usted es

 _____

5.   Usted es

 _____

6.   Usted es

 _____

7.   Usted es

 _____

8.   Usted es

 _____

THINK FAST! ⌁⌁⌁⌁⌁⌁

Name a person who uses sirens.

_____

Nombre _____

B. Mario is showing slides of places in his community. He has misplaced his notes and now he needs your help. Complete each sentence based on what you see in the pictures.

M
a. **La fábrica** _____ es muy grande.

b. Muchos **obreros** _____ trabajan aquí.

1.
a. _____ tiene muchos cuartos.

b. Hay _____ en los cuartos.

c. Muchos _____ trabajan aquí.

2.
a. _____ no es grande.

b. Muchos _____ trabajan aquí.

c. Ellos ayudan a _____ .

3.
a. Las personas compran la ropa en _____ .

b. _____ venden ropa y otras cosas.

4.
a. Muchas personas trabajan en _____ .

b. _____ son directores.

c. _____ escriben cartas y trabajan en sus escritorios.

¡Hablemos!   Nombre _____

C. You must interview three people who work in your community. Write two
   questions to ask each person, but first read the sample interview.

MERCEDES:	Sr. Sierra, ¿dónde trabaja usted?
SR. SIERRA:	Trabajo en el Almacén Segovia.
MERCEDES:	¿Qué hace en su trabajo?
SR. SIERRA:	Soy vendedor. Vendo licuadoras, hornos de microondas y otras cosas para la cocina.
MERCEDES:	¿Trabaja usted todos los días?
SR. SIERRA:	No. Trabajo los lunes, martes, jueves, viernes y sábados.
MERCEDES:	¿Cuántas horas trabaja usted?
SR. SIERRA:	Trabajo ocho horas al día.
MERCEDES:	¿Le gusta trabajar en el almacén?
SR. SIERRA:	Sí, me gusta. Es interesante.

Sr. Rodrigo Tamayo, policía

1. _____

2. _____

Srta. Lucía Ordóñez, dueña de una compañía

3. _____

4. _____

Dra. Margarita Espinosa, médica

5. _____

6. _____

¿Cómo lo dices?   Nombre _____

A.   You are having a party at your house. You want to know if the guests know one another. Complete each conversation by writing the correct form of **conocer**.

M

P: Estela,   ¿ _____**conoces**_____ a Inés?

R: Sí, _____**conozco**_____ a Inés.

1.

P: Sergio, ¿ _____ a Chela?

R: No, no _____ a Chela.

2.

P: Ana y Tere, ¿ _____ a Eduardo?

R: Sí, _____ a Eduardo.

3.

P: Sra. Vélez, ¿ _____ al Sr. Maldonado?

R: Sí, _____ muy bien al Sr. Maldonado.

4.

P: Pepe y Leo, ¿ _____ a la Srta. Burgos?

R: No, no _____ a la Srta. Burgos.

UNIDAD 2

¿Cómo lo dices?   Nombre _____

B. Sometimes you can tell if people know one another simply by looking at them. Do the people in these pictures know each other? Look at each picture, then write a sentence using **conocer**.

M

El Sr. Pérez no conoce a
_____

la Sra. Rivas.
_____

1.

_____

_____

2.

_____

_____

3.

_____

_____

4.

_____

_____

5.

_____

_____

¿Cómo lo dices?　　Nombre _____

C. Whom do you and your friends know in your community? Read each question, then answer according to whom you know and don't know.

M ¿Tus amigos y tú conocen a una vendedora?

Sí, conocemos a una vendedora. Se llama Sra. Rojas.

1. ¿Conoces a un policía?

   _____

2. ¿Tus amigos y tú conocen a un obrero?

   _____

3. ¿Tus amigos y tú conocen a un jugador de fútbol americano?

   _____

4. ¿Conoces al dueño de una compañía?

   _____

5. ¿Conoces a un bombero?

   _____

6. ¿Tus amigos y tú conocen a una enfermera?

   _____

UNIDAD 2

¿Cómo lo dices?   Nombre _____

D. You have been watching too many spy movies. You're sneaking around to observe people and take notes on their activities! Complete each sentence with the correct form of the verb.

M. Son las ocho. Tomás está _____**sacando**_____ la basura.
    (sacar)

1. Son las nueve y media. Judit está _____ una manzana.
    (comer)

2. Son las diez. El policía está _____ a un hombre.
    (ayudar)

3. Son las diez y cuarto. Mamá está _____ la puerta.
    (abrir)

4. Son las once. Un obrero está _____ a la fábrica.
    (caminar)

5. Son las doce. Juan y yo estamos _____ .
    (almorzar)

6. Son las dos. Papá está _____ en el jardín.
    (trabajar)

7. Son las tres. Dos muchachos están _____ cerca de mi casa.
    (correr)

8. Son las tres y media. Tengo sueño porque estoy _____ mucho.
    (escribir)

¿Cómo lo dices?   Nombre _____

E. Felipe's mother has a broken leg and cannot leave her bedroom today. She wants to know what her family is going to do. Follow the models to help Felipe answer his mother's questions.

M Felipe, ¿vas a preparar el almuerzo?

Sí. **Estoy preparando el almuerzo ahora.**

M ¿Tus hermanos van a poner la mesa?

Sí. **Están poniendo la mesa ahora.**

1. Felipe, ¿vas a barrer el patio?

_____

2. ¿Tu hermana va a mirar la televisión?

_____

3. ¿Tu abuelo va a abrir las ventanas?

_____

4. Felipe, ¿vas a recoger tus cosas?

_____

5. ¿Tu abuela va a regar las plantas?

_____

UNIDAD 2

¿Cómo lo dices?   Nombre _____

F.   You are asking your sister who in the neighborhood is singing like an injured moose! How does she answer you?

M   ¿Canta Carlos?

No. Está
_____

pintando.
_____

1.   ¿Canta Diana?

_____

_____

2.   ¿Canta Manuel?

_____

_____

3.   ¿Canta Jorge?

_____

_____

4.   ¿Canta Delia?

_____

_____

5.   ¿Cantan Ana y Pablo?

_____

_____

6.   ¿Cantan Iris y Luis?

_____

_____

7.   ¿Canta Pepe?

_____

_____

8.   ¿Canta Yolanda?

_____

_____

THINK FAST! ∿∿∿∿

¿Qué haces tú ahora?

_____

Vamos a leer   Nombre _____

Help-wanted advertisements in Spanish are similar to help-wanted ads in English. Even if you do not know all the words, you can guess the general meaning of an advertisement.

Practice reading the following help-wanted ads for various jobs. Underline the words you know. Then circle the words whose meanings you can guess. (No fair looking them up in the dictionary!)

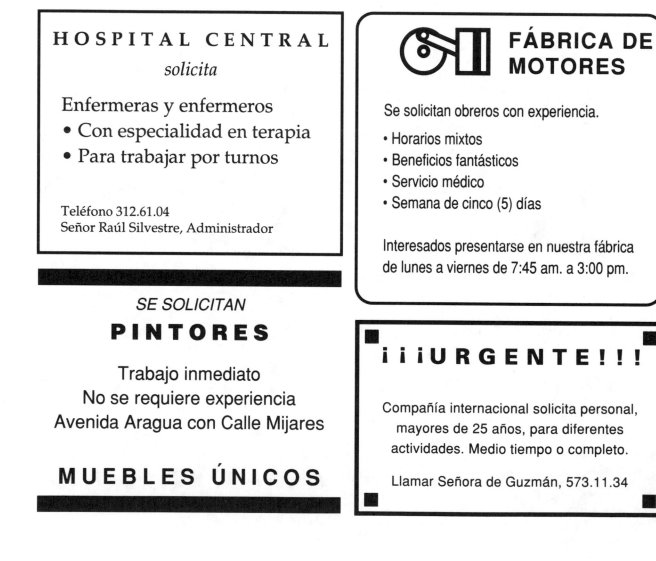

HOSPITAL CENTRAL
solicita

Enfermeras y enfermeros
• Con especialidad en terapia
• Para trabajar por turnos

Teléfono 312.61.04
Señor Raúl Silvestre, Administrador

SE SOLICITAN

PINTORES

Trabajo inmediato
No se requiere experiencia
Avenida Aragua con Calle Mijares

MUEBLES ÚNICOS

FÁBRICA DE MOTORES

Se solicitan obreros con experiencia.

• Horarios mixtos
• Beneficios fantásticos
• Servicio médico
• Semana de cinco (5) días

Interesados presentarse en nuestra fábrica de lunes a viernes de 7:45 am. a 3:00 pm.

¡¡¡URGENTE!!!

Compañía internacional solicita personal, mayores de 25 años, para diferentes actividades. Medio tiempo o completo.

Llamar Señora de Guzmán, 573.11.34

¿Cómo lo dices?   Nombre _____

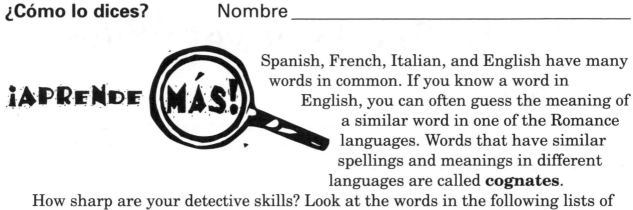

¡APRENDE MÁS!

Spanish, French, Italian, and English have many words in common. If you know a word in English, you can often guess the meaning of a similar word in one of the Romance languages. Words that have similar spellings and meanings in different languages are called **cognates**.

How sharp are your detective skills? Look at the words in the following lists of professions. Observe how the words are spelled in French, Italian, and Spanish. Then write the English cognate on the line in the fourth column. The first one has been done for you.

French	Italian	Spanish	English
architecte	architetto	arquitecto	**architect**
artiste	artista	artista	_____
dentiste	dentista	dentista	_____
soldat	soldato	soldado	_____
peintre	pittore	pintor	_____
pilote	pilota	piloto	_____
juge	giudice	juez	_____
athlète	atleta	atleta	_____
directeur	direttore	director	_____
musicien	musicista	músico	_____

Nombre _____

La Página de diversiones

Adivina la carrera

For "Career Day," many visitors have turned up. You are in charge of passing out the name cards. Use your detective skills to match each visitor to a card. Draw a line to match each card to the right picture.

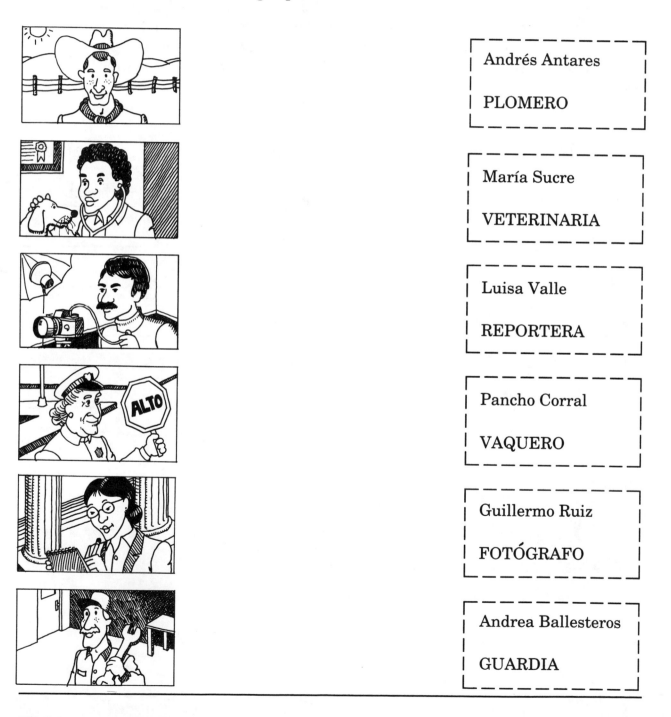

Andrés Antares

PLOMERO

María Sucre

VETERINARIA

Luisa Valle

REPORTERA

Pancho Corral

VAQUERO

Guillermo Ruiz

FOTÓGRAFO

Andrea Ballesteros

GUARDIA

¡Hablemos!   Nombre _____

A. You have visitors for the summer. Where do they want to go? For each place, answer the question **¿Adónde quieren ir?**

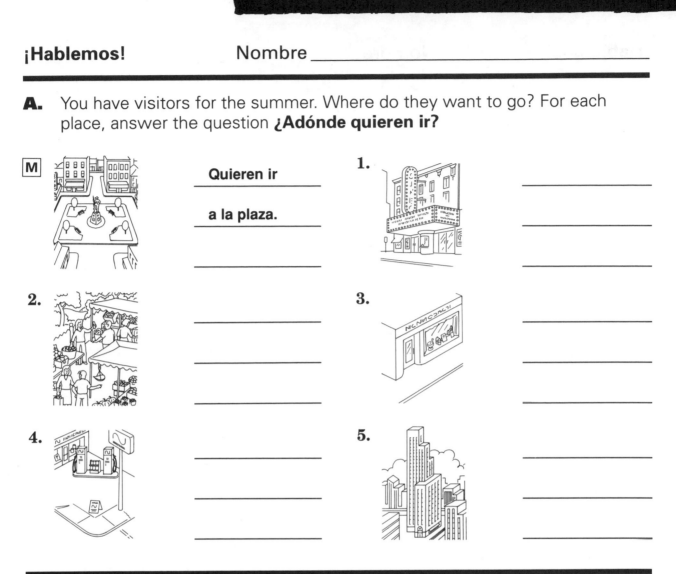

M   Quieren ir
          _____
          a la plaza.

1.   _____
            _____
            _____

2.   _____
            _____
            _____

3.   _____
            _____
            _____

4.   _____
            _____
            _____

5.   _____
            _____
            _____

B. One of your friends wants her relatives to experience different ways of seeing the city. What does she suggest? Complete each question according to the picture.

1. ¿Vamos en

_____ ?

2. ¿Vamos en

_____ ?

3. ¿Vamos en

_____ ?

4. ¿Vamos a

_____ ?

UNIDAD 3

C. Little Horacio has never been in a city before. How do you answer his questions?

M ¿Hay frutas en la farmacia?

No. Hay frutas en el mercado.

1. ¿Hay taxis en la parada de autobús?

_____

2. ¿Hay edificios en el estacionamiento?

_____

3. ¿Hay teatros en los taxis?

_____

4. ¿Hay plazas en los autobuses?

_____

D. How do you usually go to town? Answer each question using **siempre**, **a veces**, or **nunca**.

M ¿Vas a pie?

A veces voy a pie.

1. ¿Vas en taxi?   3. ¿Vas en coche?

_____   _____

2. ¿Vas en autobús?   4. ¿Vas a pie?

_____   _____

UNIDAD 3

¿Cómo lo dices?   Nombre _____

A. You are playing a video game in which you have to find the parking lot in a strange city. Your only guide is a computer voice. Complete each instruction it gives you by using the right form of the word in parentheses.

M _____**Camina**_____ por la plaza.
(caminar)

_____**Corre**_____ al rascacielos.
(correr)

1. _____ la puerta del rascacielos.
   (abrir)

2. _____ las escaleras.
   (subir)

3. Si no hay mapa, _____ las escaleras.
   (bajar)

4. _____ la farmacia.
   (buscar)

5. _____ un mapa en la farmacia.
   (comprar)

6. _____ el mapa en la plaza.
   (leer)

7. _____ al mercado.
   (caminar)

8. _____ al estacionamiento. ¡Muy bien!
   (correr)

¿Cómo lo dices? Nombre _____

B. Germán is the bossiest person in school. Write the orders he gives you today.

M escribir / tu nombre

    ¡Escribe tu nombre!

    _____

1. pintar / mi retrato

    _____

2. recoger / mis libros

    _____

3. comer / tu sándwich

    _____

4. abrir / las ventanas

    _____

5. contestar / mis preguntas

    _____

C. You have decided to teach Germán some manners. It's your turn to give him some instructions. Use **por favor** to write six polite instructions.

M Abre el buzón, por favor.

1. _____   **4.** _____

2. _____   **5.** _____

3. _____   **6.** _____

UNIDAD 3

¿Cómo lo dices?   Nombre _____

D. You have organized a parade, and your classmates want to know who
follows whom. Answer their questions by completing each sentence. Use
the correct form of **seguir**.

M ¿Qué sigue el autobús?

El taxi _____**sigue**_____ el autobús.

1. ¿Quién sigue las bicicletas?

Los jugadores de fútbol _____ las bicicletas.

2. ¿Quién sigue a las enfermeras?

Los choferes _____ a las enfermeras.

3. ¿Quién sigue el coche rojo?

Nosotros _____ el coche rojo.

4. ¿Qué sigue a los maestros?

El automóvil viejo _____ a los maestros.

5. ¿Quién sigue a los policías?

Tú _____ a los policías.

6. ¿Qué sigue a los bomberos?

Los caballos _____ a los bomberos.

¿Cómo lo dices?   Nombre _____

E. The food committee didn't finish the menus in time for the food festival. People have to ask the students what they are serving. Complete each question and then answer it, using the word in parentheses.

M ¿Ustedes _____**sirven**_____ hamburguesas?

(sándwiches)   **No. Servimos sándwiches.**_____

1. Marcos, ¿ _____ sopa de pollo?

   (ensalada) _____

2. Julio y Alicia, ¿ _____ café?

   (té) _____

3. Olga, ¿Calixto _____ huevos revueltos?

   (huevos fritos) _____

4. Corina y Mateo, ¿ _____ arroz?

   (papas fritas) _____

5. Esteban y David, ¿ _____ pan?

   (tortillas) _____

6. Sonia, ¿ _____ jamón?

   (pavo) _____

¿Cómo lo dices? Nombre _____

F. Whom do you ask for help in different situations? Write a sentence for each situation using **pedir**.

[M] Estás en la clase de matemáticas. Tienes que contestar preguntas muy difíciles. ¡No comprendes las preguntas!

Pido ayuda a la maestra (*or* al maestro).

1. Vas al teatro a pie. No conoces bien la ciudad. Hay un policía en la plaza.

_____

2. Tus amigos y tú están en la calle. No hay nadie cerca de ustedes. ¡Hay un incendio en un edificio! Los bomberos no están muy lejos.

_____

3. Tu amigo va a la escuela en taxi. Él tiene diez libros, dos globos, un mapa grande y veinte cuadernos.

_____

4. Tu familia y tú están en el centro. No saben cómo ir al teatro. Un autobús está cerca de ustedes.

_____

5. Tus compañeros y tú van a pie. Están caminando cerca del hospital. A un compañero le duele mucho la cabeza.

_____

¿Cómo lo dices?   Nombre _____

G. Juanito never knows where to go or where to look for things. Answer his questions using **a la derecha**, **a la izquierda**, or **derecho**.

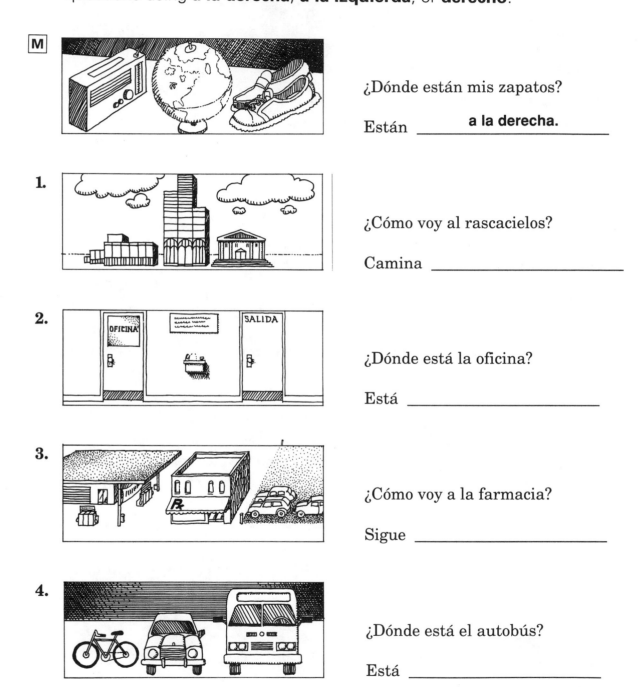

M. ¿Dónde están mis zapatos?

Están _____ **a la derecha.** _____

1. ¿Cómo voy al rascacielos?

Camina _____

2. ¿Dónde está la oficina?

Está _____

3. ¿Cómo voy a la farmacia?

Sigue _____

4. ¿Dónde está el autobús?

Está _____

Nombre _____

▨▨▨ EXPRESA TUS IDEAS ▨▨▶

Srta. Aventura and members of the Explorers' Club are starting out in the parking lot. Each person wants to do something different. Choose three club members and write instructions for each.

| Hospital central | A la Moda (tienda de ropa) | Almacén Zamora | **Calle Monte** Edificio Trujillo (rascacielos) | Farmacia Miraflores |

Avenida Bella

| Estación de bomberos | **Calle Miranda** Teatro municipal | **Calle Torres** Plaza de la Paz | **Calle Comercio** Parada de autobuses / Compañía Aventura |

Avenida San Mateo

| Escuela secundaria Bolívar | Restaurante Hidalgo | La Casa Mágica (juegos electrónicos) | Cine Millonario | Departamento de policía |

Avenida de la Fortuna

| **X** el estacionamiento | Tienda de animales / Taxis | Fábrica | **Calle Corto** Gasolinera | **Calle Milán** Mercado Poblano |

BERTA: Quiero comprar frutas en el mercado. ¿Dónde está?

PACO: Tengo dolor de cabeza. ¿Dónde está la farmacia?

LUIS: Mi primo está en el hospital. ¿Dónde está el hospital?

RITA: ¿Dónde compro ropa nueva?

JOSÉ: ¡Tengo hambre! ¿Adónde voy?

PEPE: Quiero jugar a los juegos electrónicos. ¿Hay unos juegos en la ciudad?

ANA: Quiero ir al teatro y luego quiero ir al cine. ¿Dónde están?

_____

_____

_____

_____

_____

_____

Nombre _____

La Página de diversiones

Un rompecabezas

Read the descriptions and write the words in the blanks. Use the numbers to discover the safety tip.

1. Muchos vendedores venden frutas y otras cosas. Puedes comprar mucho aquí. ¿Qué es?

   el __ __ __ __ __ __ __
      1 2 3 4 5 6 7

2. Las personas compran gasolina para los coches aquí. ¿Qué es?

   la __ __ __ __ __ __ __ __ __ __
      8 9 10 11 12 13 14 15 16 17

3. Es un edificio muy alto. Hay muchos en las ciudades grandes. ¿Qué es?

   el __ __ __ __ __ __ __ __ __ __ __
      18 19 20 21 22 23 24 25 26 27 28

4. Las personas suben al autobús aquí. A veces bajan del autobús aquí. ¿Qué es?

   la __ __ __ __ __ __   __ __   __ __ __ __ __ __ __
      29 30 31 32 33 34   35 36   37 38 39 40 41 42 43

¿Qué tienes que hacer al subir a un automóvil? Es muy importante.

__ __ __ __ __ h __ __ __ __   __ __
5 41 31 7 23   9 3 39 25   36 26

__ __ __ __ __ __ __ __
21 13 14 39 38 18 40 14

Unidades 1–3 Nombre _____

A. Srta. Canseco doesn't know much about sports and games. Use the pictures to answer her questions.

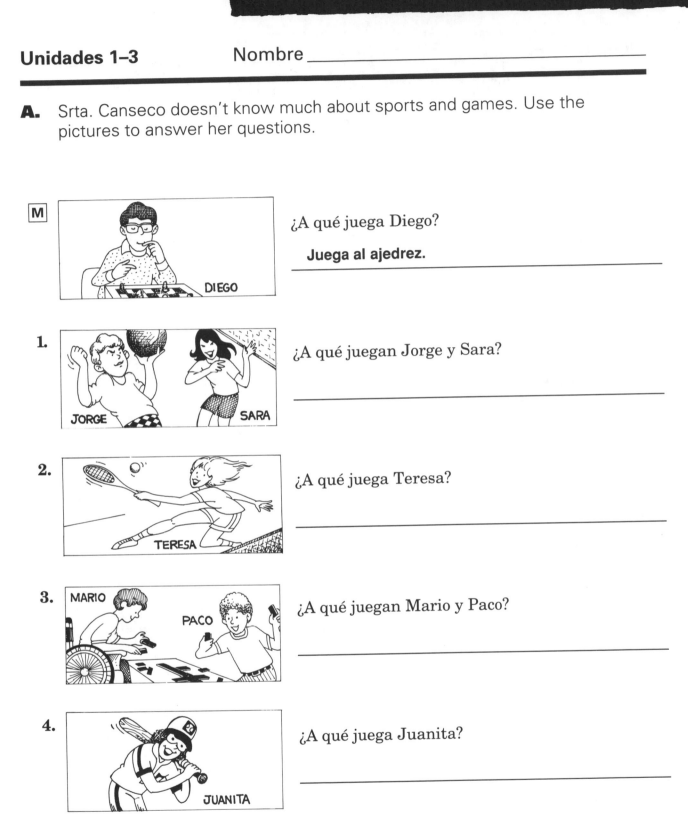

M

¿A qué juega Diego?

Juega al ajedrez.

1. ¿A qué juegan Jorge y Sara?

_____

2. ¿A qué juega Teresa?

_____

3. ¿A qué juegan Mario y Paco?

_____

4. ¿A qué juega Juanita?

_____

B. Whom do you know in the neighborhood? Little Horacio is curious. Complete the sentences with the correct form of **conocer** to answer his questions.

M
¿ _____**Conoces**_____ al Sr. Trujillo?

¡Claro que sí! También _____**conozco**_____ a su hija Mariela.

1.
¿Tus hermanos _____ a Luisito?

¡Claro que sí! También _____ a su hermana Mónica.

2.
¿ _____ a Federico?

¡Claro que sí! También _____ a su prima Flora.

3.
¿Tus amigos y tú _____ a Samuel?

¡Claro que sí! También _____ a su primo Eduardo.

4.
¿Tu mamá _____ a Dolores?

¡Claro que sí! También _____ a su hermanito Diego.

Unidades 1–3 Nombre _____

c. You want someone to go to the movies with you. Everyone is busy at the moment. What do they say they are doing when you ask them to go?

M

Adela, ¿quieres ir al cine?

No puedo ahora. Estoy barriendo el piso.

1.

Ricardo, ¿quieres ir al cine?

_____

2.

Diana, ¿quieres ir al cine?

_____

3.

Papá, ¿quieres ir al cine?

_____

4.

Pancho, ¿quieres ir al cine?

_____

REPASO

Nombre _____

D.   You are describing different people in your classroom, including yourself. Be sure to use the correct form of **ser** to complete each sentence.

M Ramón ___**es**___ muy inteligente.

1. Mabel y Rogelio _____ muy generosos.

2. María _____ muy atlética.

3. Felipe y yo no _____ altos.

4. Graciela _____ muy tímida.

5. Francisco y Luisa _____ populares.

6. Yo no _____ muy _____ .

E.   You are used to telling the kids in the neighborhood what to do. Use the words given to tell each person what to do.

M Rosita / caminar / biblioteca ___**¡Rosita, camina a la biblioteca!**___

1. Rudy / sacar / bicicleta / del garaje _____

2. Pepe / tomar / autobús / al teatro _____

3. Rosita / correr / a la escuela _____

4. Tere / abrir / puerta _____

¡Hablemos!   Nombre _____

A. Sra. Ramírez is a travel agent. Before she can help you with your travel plans, she needs to know how you want to travel. Look at the pictures and complete her questions.

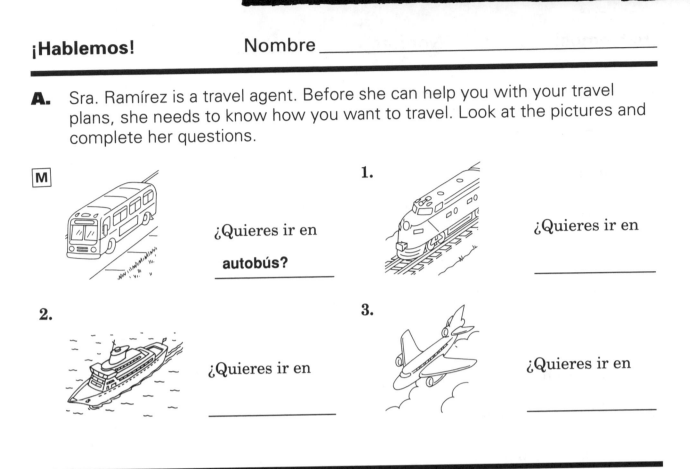

M ¿Quieres ir en

autobús?

1. ¿Quieres ir en

_____

2. ¿Quieres ir en

_____

3. ¿Quieres ir en

_____

B. Now Sra. Ramírez wants to be sure you know where to go if you take different kinds of transportation. Complete her statements with the correct place word.

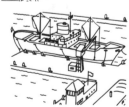

1. Tienes que ir al _____ si tomas el avión.

2. Tienes que ir a la _____ si tomas el tren.

3. Tienes que ir al _____ si tomas el barco.

¡Hablemos!   Nombre _____

C. Geography has always been one of your best subjects. Use the phrases in the list to complete the sentences telling where each country is located.

la América del Norte   la América Central
Europa   la América del Sur

[M] Bolivia es un país de   **la América del Sur.**

1. Panamá es un país de _____

2. España es un país de _____

3. Honduras es un país de _____

4. Chile es un país de _____

5. Los Estados Unidos es un país de _____

6. Portugal es un país de _____

7. Columbia es un país de _____

8. Venezuela es un país de _____

9. El Canadá es un país de _____

10. Costa Rica es un país de _____

THINK FAST! 〰〰〰〰〰〰〰〰〰〰〰〰〰

Circle the word that doesn't belong.

1.   Cuba   República Dominicana   Puerto Rico   Bolivia

2.   España   Argentina   Perú   Ecuador

UNIDAD 4

¿Cómo lo dices?   Nombre _____

A. You are presenting a group of international students to your Spanish class. Someone spilled water on your notes! Complete each sentence using **de, del, de los,** or **de la**.

M   Alicia y Héctor son _____ del _____ Uruguay.

1. Magdalena y Susana son _____ Bolivia.

2. Éster y Paco son _____ República Dominicana.

3. Marc y Jacques son _____ Canadá.

4. Zulema y Antonio son _____ Venezuela.

5. Lidia y Roberto son _____ Brasil.

6. Pedro y Rogelio son _____ España.

7. Mike y Linda son _____ Estados Unidos.

8. Guillermo y Víctor son _____ Colombia.

B. Now your notes are really fuzzy! You can only read the name and the country. Use this information to write a sentence about where each person is from.

1. Heriberto / Paraguay   _____

2. Laura y Ramón / Argentina   _____

3. Marisela / Ecuador   _____

4. Rosalba / Costa Rica   _____

¿Cómo lo dices?   Nombre _____

C. You have to follow up your presentation by giving a report on nationalities. Complete each sentence with the correct nationality.

M Las personas que viven en Puerto Rico son ___puertorriqueñas.___

1. Las personas que viven en el Ecuador son _____

2. Las personas que viven en Chile son _____

3. Las personas que viven en Panamá son _____

4. Las personas que viven en Nicaragua son _____

5. Las personas que viven en México son _____

6. Las personas que viven en Portugal son _____

D. Sr. Figueroa wants to check if everyone has been paying attention. How well can you do on his "quickie quiz"? Use the information about where everyone is from to give their correct nationalities.

M Migdalia es de Guatemala. Ella es ___guatemalteca.___

1. Pierre es de Haití. Él es _____

2. Nélida es del Perú. Ella es _____

3. Tania y Patricia son de Belice. Ellas son _____

4. Óscar y Martín son de Costa Rica. Ellos son _____

¿Cómo lo dices?   Nombre _____

E. Susana has created some rebus puzzles for you to solve. Look at the words and pictures, then write the complete sentence on the line provided.

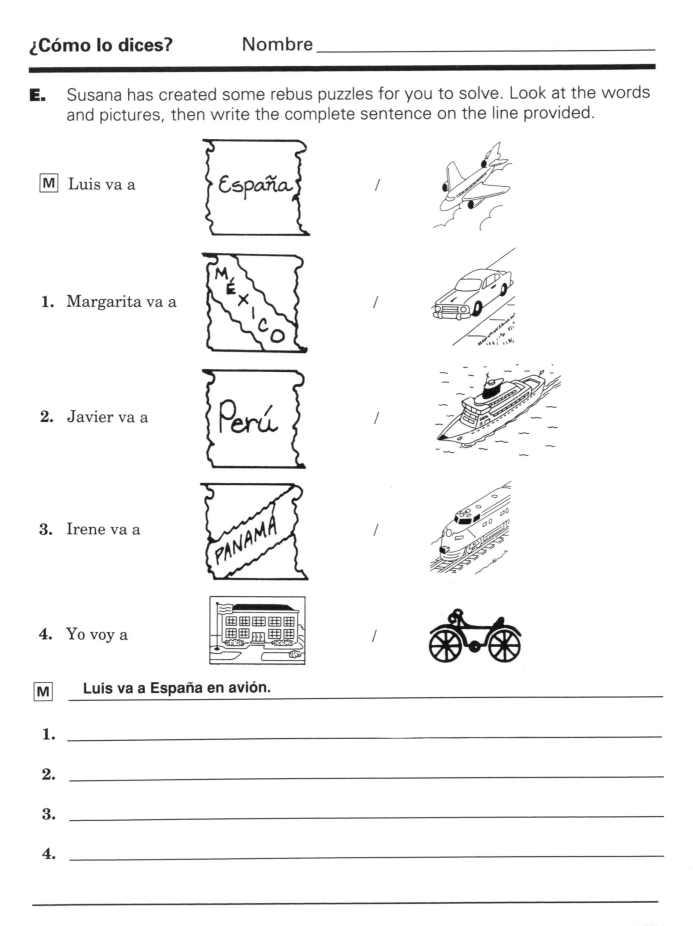

M   Luis va a   España   /

1. Margarita va a   MÉXICO   /

2. Javier va a   Perú   /

3. Irene va a   PANAMA   /

4. Yo voy a   /

M   **Luis va a España en avión.**

1. _____

2. _____

3. _____

4. _____

F. What transportation do you take for short distances? What transportation will you take for long distances? Answer each question according to what you think is the best method of transportation.

M ¿Cómo vas al mercado?   **Voy al mercado en autobús.** _____

1. ¿Cómo vas a Europa?

   _____

2. ¿Cómo vas al centro de tu ciudad?

   _____

3. ¿Cómo vas a México?

   _____

4. ¿Cómo vas a la República Dominicana?

   _____

5. ¿Cómo vas a la escuela por la mañana?

   _____

6. ¿Cómo vas a la América del Sur?

   _____

THINK FAST! ∿∿∿∿∿∿∿∿∿∿∿∿∿∿∿∿

Match the picture to its label and then answer the question below.

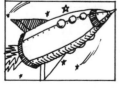   un burro   una nave espacial

¿Cómo vas a otro planeta—en burro o en nave espacial?

_____

¿Cómo lo dices?   Nombre _____

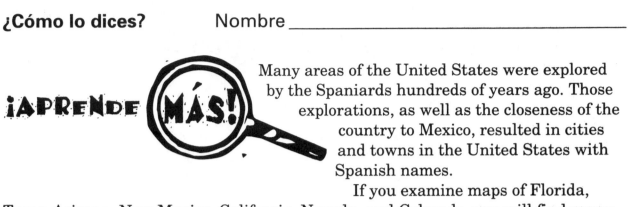

¡APRENDE MÁS!

Many areas of the United States were explored by the Spaniards hundreds of years ago. Those explorations, as well as the closeness of the country to Mexico, resulted in cities and towns in the United States with Spanish names.

If you examine maps of Florida, Texas, Arizona, New Mexico, California, Nevada, and Colorado, you will find many places with Spanish names.

Read the following list of cities and write the name of their states next to them. You will need to use a map.

Las Vegas, _____   San Antonio, _____

Los Angeles, _____   Boca Raton, _____

Mesa, _____   Santa Fe, _____

On the map below, label the cities and states in the lists.

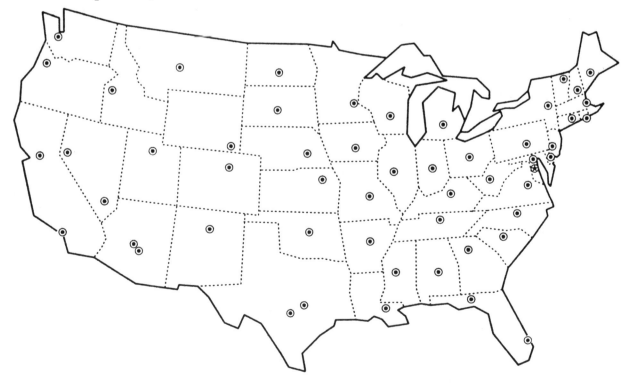

Nombre _____

La Página de diversiones

Un juego internacional

In the column on the left are the names of countries. In the column on the right are the names of capital cities. How many capital cities do you know without looking at a map? Write the letter of the capital city on the line next to its country.

____i____ Bolivia

_____ Puerto Rico

_____ Nicaragua

_____ España

_____ Panamá

_____ República Dominicana

_____ Paraguay

_____ Chile

_____ Venezuela

_____ Perú

_____ México

_____ Cuba

_____ Argentina

a. Madrid

b. México, D.F.

c. Caracas

d. Santiago

e. Lima

f. Managua

g. San Juan

h. Asunción

i. La Paz

j. La Habana

k. Santo Domingo

l. Buenos Aires

m. Panamá

¡Hablemos!   Nombre _____

A. Your family is planning to take a vacation trip this winter. Where do family members want to go? Use the pictures as clues to see how they answer your questions.

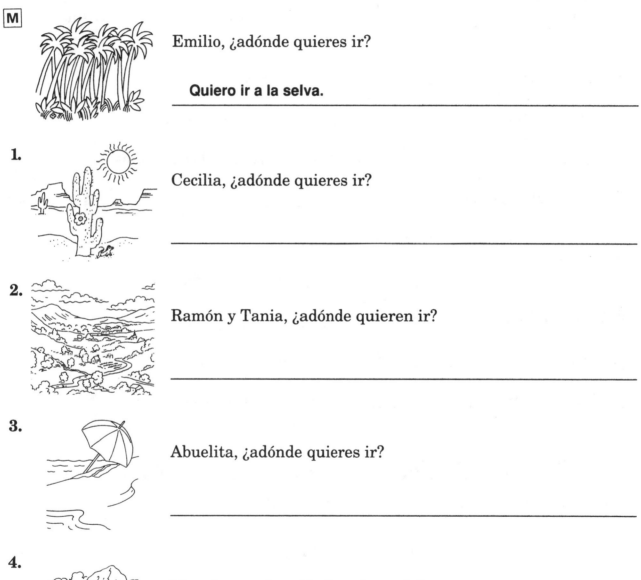

M   Emilio, ¿adónde quieres ir?

Quiero ir a la selva.
_____

1.   Cecilia, ¿adónde quieres ir?

_____

2.   Ramón y Tania, ¿adónde quieren ir?

_____

3.   Abuelita, ¿adónde quieres ir?

_____

4.   Mamá y papá, ¿adónde quieren ir?

_____

¡Hablemos!   Nombre _____

B. You are helping your grandfather plan a trip. Use the list to complete the sentences about your grandfather's trip planning.

---

un billete	la agente	las montañas	descansar
el desierto	pagar	la agencia	un lago
un volcán	√ viajar	la selva	costar

[M] Mi abuelo piensa _____**viajar**_____ muy lejos.

1. Primero, tenemos que ir a _____ de viajes.

2. A _____ de viajes le gusta ayudar a las personas.

3. Mi abuelo no quiere ir a _____ porque son muy altas y grandes.

4. Tampoco quiere estar muy cerca de _____ .

5. Quiere ir a _____ porque le gusta nadar.

6. Abuelito tiene que comprar _____ .

7. Va a _____ muchos dólares.

8. Mi abuelo tiene que _____ trescientos dólares.

THiNK FAST! ∿∿∿∿∿∿∿∿∿∿∿∿∿∿∿∿∿

Circle the word in each line that does not belong.

1.   montaña   valle   volcán   agencia

2.   playa   desierto   lago   río

¡Hablemos!　　　　　Nombre _____

C. Play a game of "¿Dónde están los viajeros?" Write a sentence for each person that answers the question **¿Dónde está el viajero (la viajera)?**

[M] LUIS:　　　　Siempre hace sol y hace mucho calor. Siempre tengo sed.
　　　　　　　　El viajero está en el desierto.

_____

1. RITA:　　　　Estoy en un barco. Hay casas a la izquierda y a la derecha.

_____

2. PEDRO:　　　Hay muchas plantas tropicales. También hay pájaros exóticos de muchos colores.

_____

3. ELENA:　　　Tengo que subir muy alto. Estoy en las nubes. Puedo mirar las casitas pequeñitas en el valle.

_____

4. ALBERTO:　　Hay carteles de volcanes y de ciudades. Hay un escritorio y unas sillas. También hay un hombre muy simpático.

_____

D. You are planning a trip. Write four questions to ask your travel agent.

[M] ¿Son bonitas las playas de México?
　　 ¿Va a costar mucho el billete?

1. _____

2. _____

3. _____

4. _____

¿Cómo lo dices?   Nombre _____

A. Óscar and Judit are having a conversation. You can hear the questions, but you can't hear the answers. Underline the right answer.

M ¿Cuándo visitan a sus primos?

  a. Visitas a tus primo en junio.

  b. Visito a mis primos en junio.

  c. Visitamos a nuestros primos en junio.

1. ¿Dónde viven tus primos?

  a. Vivimos en las montañas.

  b. Viven en las montañas.

  c. Vive en las montañas.

2. ¿Viajas mucho con tu familia?

  a. No, no viajo mucho.

  b. No, no viajan mucho.

  c. No, no viaja mucho.

3. ¿Leen novelas tus primos?

  a. Sí, a veces leemos novelas.

  b. Sí, a veces leo novelas.

  c. Sí, a veces leen novelas.

4. ¿Tus primos y tú corren mucho?

  a. Sí, corren mucho.

  b. Sí, corremos mucho.

  c. Sí, corro mucho.

5. ¿Ustedes reciben cartas de los primos?

  a. Nunca recibes cartas.

  b. Nunca recibo cartas.

  c. Nunca recibimos cartas.

6. ¿Descansas en las montañas?

  a. A veces descanso.

  b. A veces descansamos.

  c. A veces descansa.

¿Cómo lo dices?   Nombre _____

B. You are interviewing different friends to find out what they like to do on their summer vacations. Write your friends' responses according to the happy or sad face.

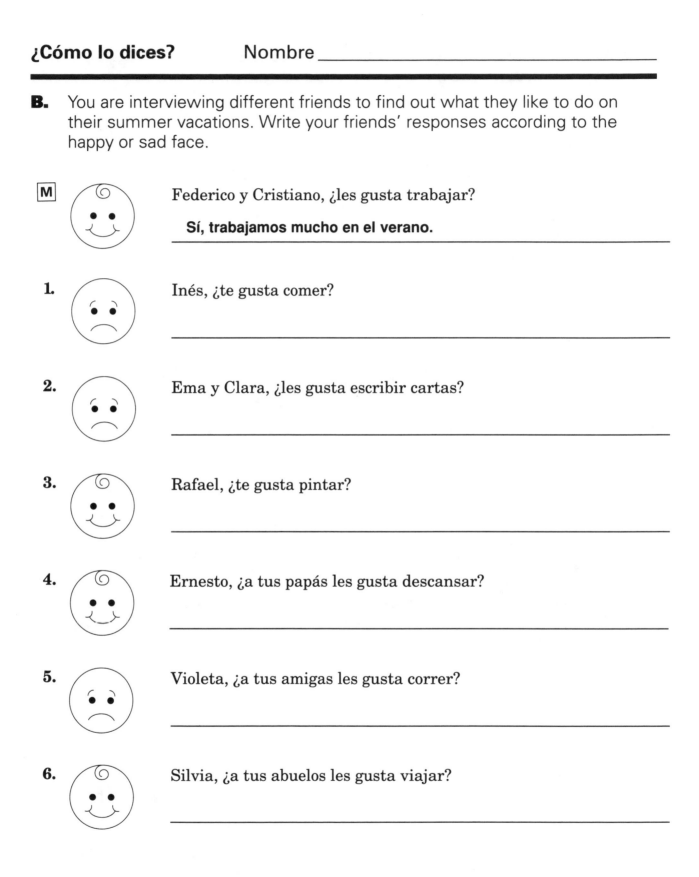

M Federico y Cristiano, ¿les gusta trabajar?

Sí, trabajamos mucho en el verano.
_____

1. Inés, ¿te gusta comer?

_____

2. Ema y Clara, ¿les gusta escribir cartas?

_____

3. Rafael, ¿te gusta pintar?

_____

4. Ernesto, ¿a tus papás les gusta descansar?

_____

5. Violeta, ¿a tus amigas les gusta correr?

_____

6. Silvia, ¿a tus abuelos les gusta viajar?

_____

¿Cómo lo dices?   Nombre _____

C. You and some fellow students did volunteer work at the community center last weekend. Your photos have been developed. Now you must write the captions for the school newspaper. Look at each picture and write the correct caption.

M

Lola y Pablo pintan las paredes.

1.
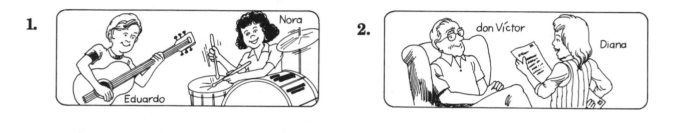

_____

_____

2.

_____

_____

3.

_____

_____

4.

_____

_____

5.

_____

_____

6.

_____

_____

UNIDAD 5

¿Cómo lo dices?   Nombre _____

D. Your relatives love to travel. You are always happy to hear from them.
Complete your questions using the correct form of **estar**. Then use the
pictures to let your relatives answer the questions about where they are.

M P: ¡Tío Francisco! ¿Dónde _____**estás**_____ ?

    R: ____**Estoy en la selva.**_____

1. P: ¡Abuelito y abuelita! ¿Dónde _____ ?

    R: _____

2. P: ¡Tía Migdalia! ¿Dónde _____ ?

    R: _____

3. P: ¡Juan! ¿Dónde _____ tía Rita?

    R: _____

4. P: ¡Patricia! ¿Dónde _____ mis primos?

    R: _____

¿Cómo lo dices?   Nombre _____

E.   Enrique has written a paragraph about his favorite aunt. Help him finish it.
Complete each sentence using the correct form of the verb in parentheses.

Mi tía Adriana

Mi tía Adriana _____**es**_____ fotógrafa. Ella _____ a
(ser)   (ir)

muchos países para sacar fotos. Ahora ella _____ en el Atacama, un
(estar)

desierto en Chile. Yo _____ fotógrafo también. Algunas veces mi tía
(ser)

y yo _____ al río. Otras veces _____ a una ciudad.
(ir)   (ir)

Todos los amigos de mi tía _____ fotógrafos. Ahora, dos amigos
(ser)

_____ en Costa Rica. Ellos siempre _____ a las
(estar)   (ir)

selvas en el otoño. El trabajo de los fotógrafos _____ muy
(ser)

interesante.

UNIDAD 5

¿Cómo lo dices?   Nombre _____

F.   Your neighbor Pepito asks many questions. Maybe someday he'll become a detective! Use the words in parentheses to complete his questions.

[M] (poder)   ¿Cuándo _____**puedes**_____ tú viajar?

1. (almorzar)   ¿Dónde _____ tus amigos y tú?

2. (volver)   ¿A qué hora _____ tus hermanos?

3. (poder)   ¿Por qué no _____ yo correr ahora?

4. (probar)   ¿ _____ tus amigos los platos tropicales?

5. (costar)   ¿Cuánto _____ un billete al Canadá?

G.   Now you can answer some of Pepito's questions. Answer Pepito's questions in exercise F using the words in parentheses in this exercise.

[M] (en el verano)   **Puedo viajar en el verano.**
_____

1. (en el comedor)   _____

2. (a las cuatro)   _____

3. (no / en la casa) _____

4. (a veces)   _____

5. (muchos dólares)   _____

¿Cómo lo dices?   Nombre _____

H. Inés and her friends are practicing their comedy skits for the talent show. Help them out when they forget a word. Complete their conversations using the correct form of a word from the list.

estar	cerrar	ser
comenzar	pensar	costar

1.   INÉS: La clase de matemáticas _____**comienza**_____ en quince minutos.

        ¡Y nosotros _____ muy lejos de la escuela!

   HUGO: ¿Qué _____ hacer? ¡La clase _____
        en cinco minutos!

   INÉS: ¡ _____ correr mucho!

2.   PAPÁ: ¿Por qué _____ las ventanas, niños? Hace calor.

   NIÑO: _____ las ventanas porque hay un pájaro muy
        grande en el patio.

   PAPÁ: ¡Hijos! No _____ un pájaro. ¡ _____
        el nuevo sombrero de mamá!

3.   HOMBRE: ¿Dónde _____ ustedes pasar las vacaciones?

   MUJER: _____ viajar a Colombia, a España, a Puerto Rico y
        a México.

   HOMBRE: ¡Uy! ¿ _____ mucho los billetes?

   MUJER: ¿Qué billetes? _____ ir al cine todos los días.

Nombre _____

◼▐▐◼ EXPRESA TUS IDEAS ▐▐▐▷

The Explorers' Club is back again! They are making plans for an exciting trip this year. Will they ever agree on a destination? Write at least five sentences based on the picture.

_____

_____

_____

_____

_____

_____

_____

_____

_____

Nombre _____

La Página de diversiones

En busca del tesoro

Mario Ojos de Águila and his brave assistant Victoria Valiente are searching for the treasure of the enchanted emerald. They are lost and have radioed for your help. Lead them out of the rain forest to the enchanted emerald by tracing the correct route.

¡Hablemos!

Nombre _____

A. You are angry. You spent hours arranging the bulletin-board display. Overnight, someone removed all the labels from under the pictures! Match each label to a picture in order to rearrange the display.

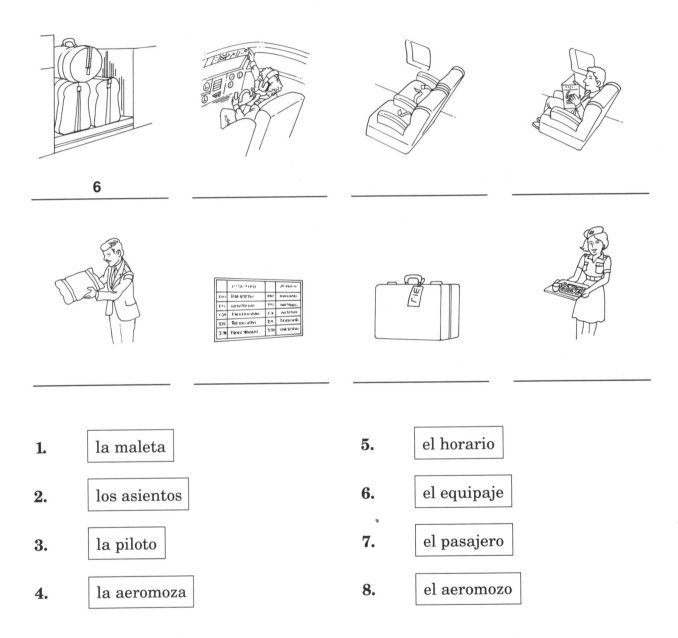

6 _____

_____

_____

_____

_____

_____

_____

_____

1. | la maleta |

2. | los asientos |

3. | la piloto |

4. | la aeromoza |

5. | el horario |

6. | el equipaje |

7. | el pasajero |

8. | el aeromozo |

UNIDAD 6

¡Hablemos! Nombre _____

B. You love to go to the airport just to watch the people and activity. What do you observe? Use the list of words to complete the sentences.

hacer fila	los pilotos	√ despega
vuela	aterriza	a tiempo
cómodos	los aeromozos	la maleta

M El avión sale del aeropuerto. El avión _____**despega**_____ .

1. Otro avión llega al aeropuerto. Ese avión _____ .

2. Antes de subir al avión, los pasajeros tienen que _____ .

3. Un vuelo no llega tarde y no llega temprano. Llega _____ .

4. _____ preparan los instrumentos del avión.

5. Dentro del avión, los pasajeros buscan asientos _____ .

6. _____ ayudan a los pasajeros.

C. Your friend Lucinda works at the airport, announcing the flight arrivals and departures. What is she announcing now? Write each sentence using **llega** or **sale**.

M (vuelo 93 / llegada: 11:15) **El vuelo 93 llega a las once y cuarto.**

1. (vuelo 22 / salida: 2:30) _____

2. (vuelo 15 / salida: 6:30) _____

3. (vuelo 32 / llegada: 4:00) _____

4. (vuelo 57 / llegada: 5:10) _____

UNIDAD 6

A. Wilfredo forgot to eat breakfast this morning. He is impatient as he stands in line for lunch in the cafeteria. Who is in line ahead of him? Use the correct form of **hacer** to complete each question and answer.

M P: Luis, ¿ _____hacen_____ fila Lupe y José?

    R: Sí, ellos _____hacen_____ fila.

1. P: Daniel, ¿ _____ fila?

    R: Sí, _____ fila.

2. P: Elena, ¿ _____ fila Carlota y tú?

    R: Sí, _____ fila.

3. P: Sra. González, ¿ _____ fila usted?

    R: Sí, _____ fila.

4. P: Paula y Blanca, ¿ _____ fila ustedes?

    R: Sí, _____ fila.

5. P: Francisco, ¿ _____ fila?

    R: Sí, yo _____ fila también.

    WILFREDO: ¡Caramba! ¡No voy a comer nunca!

¿Cómo lo dices?   Nombre _____

B. Where do you and your friends always, sometimes, or never stand in line?
Answer each question using **siempre, a veces,** or **nunca.**

M   ¿Haces fila aquí?

Sí, a veces hago fila en el salón de clase. _____

1. ¿Tus amigos y tú hacen fila aquí?

_____

2. ¿Haces fila aquí?

_____

3. ¿Tus amigos y tú hacen fila aquí?

_____

4. ¿Haces fila aquí?

_____

¿Cómo lo dices?   Nombre _____

C. Margarita has just received a letter from Lorenzo, her cousin who lives in Puerto Rico. What does he tell her? Read the letter, then answer the questions.

Querida Margarita,

   Saludos desde Puerto Rico. Hace muy buen tiempo en nuestra isla.

   Mis padres y yo hacemos planes para viajar a España en diciembre. Pensamos ir a Madrid y a la Costa del Sol.

   En enero, hago un viaje a la Florida con mis compañeros de clase. En enero, siempre hace sol en la Florida. Nosotros hacemos planes para ir a las playas bonitas. No queremos ir a los parques de atracciones porque no nos gusta hacer fila.

                                    Con cariño,

                                    Lorenzo

---

1. ¿Qué tiempo hace en Puerto Rico?

   _____

2. ¿Qué hacen Lorenzo y sus padres?

   _____

3. ¿Adónde van a hacer el viaje?

   _____

4. ¿Qué hace Lorenzo en enero?

   _____

5. ¿Con quiénes va a hacer el viaje?

   _____

6. ¿Qué planes hacen ellos?

   _____

¿Cómo lo dices?   Nombre _____

D. Your class is playing "Call My Bluff!" One or more people make statements and the players must say whether they are telling the truth or a lie. How well do you play? Write sentences using either **una mentira** (a lie) or **la verdad** (the truth).

M DIEGO Y GUSTAVO: Los barcos vuelan.

   Ellos dicen una mentira.
   _____

1. HORTENSIA: México está en Europa.

   _____

2. MIGUEL: Compras un billete antes de hacer un viaje.

   _____

3. TERESA Y ANITA: Hay muchos aviones en el aeropuerto.

   _____

4. MARTÍN Y LEONOR: Nieva mucho en el verano.

   _____

5. CARMEN: Siempre voy a la escuela en avión.

   _____

6. VICENTE: Los aeromozos son empleados de la línea aérea.

   _____

¿Cómo lo dices?   Nombre _____

E. Do you and your classmates always agree? Choose a partner and find out!
If you agree, write one sentence. If you disagree, write two sentences.

M Un piloto es más inteligente que un aeromozo.

Yo digo que sí. Mi compañera dice que no. _____

M Los alumnos siempre estudian mucho.

Decimos que no. _____

1. Un aeropuerto es más grande que una escuela.

_____

2. Un autobús es menos grande que un avión.

_____

3. Los asientos del salón de clase son incómodos.

_____

4. Los alumnos siempre corren por los pasillos de la escuela.

_____

5. Los maestros siempre llegan a tiempo a sus clases.

_____

THINK FAST! ∿∿∿∿∿∿∿∿∿∿∿∿∿∿∿

How well do you know your history?

Nombra al ex-presidente de los Estados Unidos:
   "No puedo decir una mentira . . ."

_____

_____

F. It seems that every two minutes, someone is saying something to Felipe. Are you having a day like that, too? Write at least six sentences using words from each column. First look at Felipe's sentences to get some ideas.

mis papás	digo que	tener (examen, frío…)
el maestro	dices que	ir a (viajar, cantar…)
la maestra	dice que	ser (simpático, inteligente…)
mis amigos	decimos que	gustar (la película, la clase…)
yo	dicen que	tener que (estudiar, lavar…)
tú		hacer (frío, buen tiempo…)
nosotros		

M El maestro dice que tenemos que estudiar mucho.

Mis amigos dicen que no les gustan las películas largas.

Tú dices que hace muy mal tiempo hoy.

Yo digo que mis amigos son simpáticos.

1. _____

_____

2. _____

_____

3. _____

_____

4. _____

_____

5. _____

_____

6. _____

_____

¿Cómo lo dices?   Nombre _____

G. The Suárez family left the house in a hurry. Sr. Suárez did not have time to be sure his son and daughter packed the right clothing for their trip. How do they answer his questions? Circle the right word and write it in the blank.

M Sara, ¿traes las chaquetas?   lo   los   la   (las)

Sí, ___**las**___ traigo.

M Rudy, ¿traes tus zapatos?   lo   (los)   la   las

No, no ___**los**___ traigo.

1. Rudy, ¿traes tu camisa nueva?   lo   los   la   las

Sí, _____ traigo.

2. Sara, ¿traes tu vestido bonito?   lo   los   la   las

Sí, _____ traigo.

3. Rudy, ¿traes los calcetines negros?   lo   los   la   las

No, no _____ traigo.

4. Sara, ¿traes tu impermeable?   lo   los   la   las

No, no _____ traigo.

5. Rudy, ¿traes tus botas?   lo   los   la   las

Sí, _____ traigo.

6. Sara, ¿traes tu bata nueva?   lo   los   la   las

No, no _____ traigo.

UNIDAD 6

¿Cómo lo dices?   Nombre _____

H. You are giving a party for visitors from South America. Your friends, Pepe and Julio, are helping you with the chores. Write sentences using **lo, los, la,** or **las** to show how Pepe and Julio respond to your instructions.

M   Pepe, ¡abre la ventana!

La abro ahora mismo.
_____

1. Julio, ¡barre el balcón!

_____

4. Pepe, ¡saca la basura!

_____

2. Pepe, ¡abre las latas!

_____

5. Julio, ¡lava los platos!

_____

3. Julio, ¡quita el polvo!

_____

6. Pepe, ¡cierra las ventanas!

_____

I. At the party, you want to make sure the guests know one another. Use the word in parentheses (**sí** or **no**) to write the answer to your question.

M   Eduardo, ¿conoces a Julio y Pepe?

(no) **No, no los conozco.**
_____

1. Matilde, ¿conoces a Catalina?

(no) _____

4. Tania, ¿conoces a Pedro?

(no) _____

2. Pepe, ¿conoces al Sr. Luna?

(sí) _____

5. David, ¿conoces a Clarita?

(no) _____

3. Iris, ¿conoces a Marta y Raúl?

(sí) _____

6. Leo, ¿conoces a Rita y Ana?

(sí) _____

¿Cómo lo dices?   Nombre _____

J.   Imagine that a reporter from Spain wants to interview you. He is writing an article about young people in the United States. Answer his questions using **lo, los, la,** or **las**.

M̄   ¿Usas la computadora en tu escuela?

Sí, la uso mucho. *or* **No, nunca la uso.**

_____

1.   ¿Miras la televisión en la tarde?

_____

2.   ¿Cuándo miras tu programa favorito?

_____

3.   ¿Cuándo estudias las lecciones del día?

_____

4.   ¿Cuántas horas al día estudias el español?

_____

5.   ¿Ayudas a tus papás? ¿Cómo?

_____

6.   ¿Invitas a tus amigos o amigas a tu casa? ¿Cuándo?

_____

7.   ¿Cuándo visitas a tus amigos o amigas?

_____

8.   ¿Conoces a los amigos de tus papás?

_____

Vamos a leer

Nombre _____

Spanish-language magazines often feature interviews. Frequently, the interviewer's questions and comments appear in *italics*, or slanted letters. Practice reading this short interview.

Una entrevista con un piloto

¿Le gusta mucho viajar?

Sí, me gusta mucho. Sobre todo me gustan los vuelos internacionales.

¿Conoce a muchas personas de otros países?

En realidad, no hay tiempo para conocer a las personas.

¿Por qué no?

Por ejemplo, el vuelo llega a las ocho de la mañana. Recogemos nuestro equipaje, pasamos por la aduana y, luego, tomamos un taxi a la ciudad. Tenemos que comer y descansar porque nuestro vuelo sale el próximo día a las ocho.

¡Qué lástima! ¿Cómo pasa usted las vacaciones?

¡Hago viajes en avión! Tengo una avioneta.

¿Cómo son los aeromozos?

En general, son muy simpáticos. Me ayudan mucho en los vuelos. Mi hija es aeromoza.

¡Fantástico!

Sí. A ella le gusta mucho ayudar a los pasajeros. A veces los pasajeros tienen miedo de viajar en avión. Ella los ayuda. Tiene muy buen sentido de humor.

¿A veces trabajan ustedes en el mismo vuelo?

No. Ella trabaja en los vuelos domésticos y yo trabajo en los vuelos internacionales.

Muchas gracias por contestar mis preguntas. Usted es muy amable.

Pues, las contesto con mucho gusto.

¿Cómo lo dices?   Nombre _____

Two different words that have the same, or almost the same, meaning are called **synonyms**. In Spanish, there are many words that have synonyms. For example, the words **avión** and **aeroplano** are synonyms. Study the following list of synonyms in Spanish.

La palabra	Los sinónimos
el billete	el boleto, la entrada
el país	la nación, la patria
poner	colocar
la maleta	la valija
cómico	divertido, gracioso, chistoso
el compañero	el colega, el camarada
hacer (una cosa)	producir, fabricar
hablar	conversar, platicar
el automóvil	el coche, el carro

Read the following sentences. Find a synonym in the list above for each word in heavy, **black** letters. Then rewrite the sentence, using the synonym.

Los pasajeros **ponen** sus **maletas** debajo de los asientos.

_____

Mi **compañero** no quiere comprar **un billete**.

_____

Los obreros **hacen automóviles** en la fábrica.

_____

Me gusta **hablar** con las personas **cómicas**.

_____

Nombre _____

La Página de diversiones

Busca las palabras

First, read the sentences. Then look in the puzzle for each word in a sentence that is in heavy, **black** letters. The words may appear across, down, or diagonally. When you find a word, circle it.

  After you have circled all the words, you will find the name of a country that is noted for its coffee.

1. La **piloto** siempre tiene un **asiento cómodo**.
2. **Hago fila** con mis amigos.
3. La **pasajera viaja** con una **maleta** grande.
4. La **aeromoza** busca la **salida** del vuelo en el horario.
5. ¿Tú **dices** que el avión **vuela** primero y **despega** luego? ¡Imposible!

```
P  I  L  O  T  O  C  O
M  A  L  E  T  A  O  L
D  E  S  P  E  G  A  S
C  R  O  A  A  M  A  A
Ó  O  D  H  J  L  L  L
M  M  I  B  I  E  I  I
O  O  C  F  U  A  R  D
D  Z  E  V  I  A  J  A
O  A  S  I  E  N  T  O
```

_____ produce mucho café.

Unidades 4–6 Nombre _____

A. The pipes burst at school, and all the students were sent home early. Some of your friends don't know what to do with their free time. What do you suggest they do? Use the words in parentheses to think up suggestions.

[M] Elsa y Jaime (correr / playa) _**¿Por qué no corren a la playa?**_____

1. Cristina (ir / museo) _____

2. Luis y Alberto (escribir / reporte) _____

3. Ana y Roberto (comer / frutas) _____

4. Beto (caminar / parque) _____

5. Javier y Lupe (viajar / centro) _____

6. Linda (leer / libro) _____

B. You go to a very international school. Many of your schoolmates come from other countries. Explain to Carlos, a new student, what nationality everyone is.

[M] Juan es de Chile. Él es ___**chileno**___.

1. Rosa es de Venezuela. Ella es _____ .

2. Felipe es de Bolivia. Él es _____ .

3. Marta y Eugenia son de México. Ellas son _____ .

4. Thomas es de los Estados Unidos. Él es _____ .

5. Manolo y Magda son de España. Ellos son _____ .

RePaso

C.   Sr. Rodríguez has misplaced his answer key to today's quiz. Help him make
a new one. Draw a line from each description to the right picture. Then
write the word or words describing each picture to the right. (Careful: there
are more pictures than descriptions.)

el avión _____

Despega, vuela y aterriza.
¿Qué es?

_____

Ayuda a los pasajeros.
¿Quién es?

_____

Ayuda a los viajeros.
¿Quién es?

_____

Muchas personas están en la
entrada. ¿Qué hacen?

_____

¡Hace calor! No quieres hacer
mucho. ¿Qué quieres hacer?

_____

REPASO

D. How well do you know your classmates? First, read Olga's list of rules that she wants to present to the principal. Then, write how you vote on the rule and how you think your classmates will vote.

		Tú	**Tus compañeros**
M	Los alumnos no tienen que ir a la escuela los viernes.	Digo que sí.	Dicen que sí.
1.	Necesitamos muchas vacaciones.		
2.	Los alumnos pueden llegar tarde a las clases.		
3.	Los alumnos nunca hacen fila en la escuela.		
4.	Las horas de clase tienen que ser más largas.		
5.	La clase de español tiene que viajar a España.		
6.	Los maestros nunca hacen preguntas fáciles.		
7.	Necesitamos pupitres modernos.		
8.	Podemos salir temprano todos los días.		

E.   Doña Aurora is taking her grandson Julio on his first trip away from home. He is so excited, he cannot stop asking questions! Help Doña Aurora answer Julio's questions. Use **lo, los, la,** or **las**.

M   ¿Necesitas un mapa?   **Sí, lo necesito.**
_____

1. ¿Pides ayuda con la maleta? _____

2. ¿Necesitas una almohada? _____

3. ¿Quieres una manta? _____

4. ¿Quieres unos libros? _____

5. ¿Necesitas las llaves? _____

6. ¿Sigues a la aeromoza? _____

7. ¿Pides té? _____

8. ¿Tienes nuestros billetes? _____

9. ¿Juegas al dominó? _____

10. ¿Tienes paciencia? _____

THINK FAST! 〰〰〰〰〰〰〰〰〰〰

Unscramble the words to find out why the Franco family is so happy.

mostaes   ed   ciocanesva

_____

_____

¡Hablemos!   Nombre _____

A. You are checking in to a hotel room. What does the hotel clerk show you in the room? Complete each sentence based on the picture.

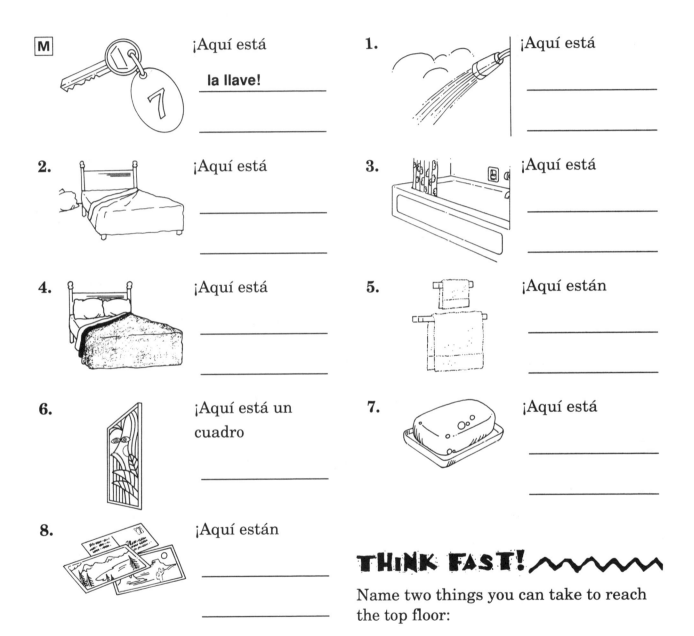

M.   ¡Aquí está

       la llave!

       _____

1.   ¡Aquí está

       _____

       _____

2.   ¡Aquí está

       _____

       _____

3.   ¡Aquí está

       _____

       _____

4.   ¡Aquí está

       _____

       _____

5.   ¡Aquí están

       _____

       _____

6.   ¡Aquí está un
       cuadro

       _____

7.   ¡Aquí está

       _____

       _____

8.   ¡Aquí están

       _____

       _____

THINK FAST! 〜〜〜〜〜

Name two things you can take to reach
the top floor:

_____

¡Hablemos!   Nombre _____

B. Cristina is staying in a very old hotel. How does she describe it in her letter?
Complete her letter, using words from the list.

| la habitación | ascensor | sábanas | fría |
| dura | los turistas | ✓ antiguo | mantas |

Querido Raimundo,

   ¡Qué horror! Estoy en un hotel muy _____**antiguo**_____ . Tengo

que subir las escaleras porque no hay _____ .

   No hay cuarto de baño en _____ . El cuarto de baño

está muy lejos, al otro lado del pasillo. ¡Solamente hay un cuarto de baño

para todos _____ ! Además, el agua siempre está

_____ .

   Mi cama es muy _____ . No hay

_____ y _____ limpias para la

cama.

               ¡Nos vemos muy pronto!

               Cristina

¡Hablemos!   Nombre _____

C. The Díaz family has just arrived at a hotel. What do they think of the room?
        Write one or two sentences for each person. (You can use words in the lists
        more than once!)

la sábana	el arte antiguo
la cama	las tarjetas postales
duro	escribir
blando	gustar
cómodo	la silla

[M] MAMÁ: La sábana es muy blanda.

1. ELENA: _____

2. _____

3. MARTÍN: _____

4. _____

5. PAPÁ: _____

A. You received a camera for your birthday. Now you're taking pictures of everyone! Use the words in parentheses to complete the caption for each picture.

Ⓜ

Ricardo tiene los dientes muy blancos.

Él _____**se cepilla**_____ los dientes
          (cepillarse)

tres veces al día.

1.

Rosa acaba de nadar en el lago. Ahora,

_____ con la toalla.
        (secarse)

2.

Rubén y José tienen mucho pelo. Ellos

_____ veinte veces
        (peinarse)

al día.

3.

Ⓜ

¡Pobrecita! Mi hermana tiene calor.

Ella _____ la
          (quitarse)

chaqueta.

4.

¡Qué horror! Mis hermanos siempre

_____ antes de las
        (levantarse)

seis de la mañana.

UNIDAD 7

¿Cómo lo dices?   Nombre _____

B. You are interviewing your friend Raquel about her daily routine when she is
on vacation. Complete each of your questions with the right form of the
word in parentheses. Then complete Raquel's answer.

M P: Raquel, ¿a qué hora _____**te despiertas**_____? (despertarse)

   R: _____**Me despierto**_____ a las nueve y media.

1. P: ¿Quién _____ primero, tus hermanos o tú? (bañarse)

   R: Yo siempre _____ primero. Ellos nunca

   _____ por la mañana.

2. P: ¿Qué hacen ellos? ¿ _____ ? (lavarse)

   R: Sí, siempre _____ la cara.

3. P: ¿Cuántas veces al día _____ ustedes los
   dientes? (cepillarse)

   R: _____ los dientes cuatro veces al día.

4. P: ¿A qué hora _____ ustedes? (acostarse)

   R: Mis hermanos _____ a las diez de la noche. Yo

   _____ a las once y media.

5. P: ¿Quiénes _____ primero? (dormirse)

   R: Pues, todos nosotros _____ a la misma hora.

UNIDAD 7

c. What is the daily routine like in your family when everyone is on vacation? Write four sentences each about what everyone does in the morning and at night.

acostarse	ponerse	quitarse	dormirse
levantarse	despertarse	irse	cepillarse
bañarse	secarse	peinarse	lavarse

Por la mañana

_____

_____

_____

_____

Por la noche

_____

_____

_____

_____

UNIDAD 7

¿**Cómo lo dices?**   Nombre _____

D. You are checking in to a hotel, and find yourself in a long line of people. The clerk is frantic because everyone is asking him for things. Complete each sentence using the correct form of **pedir**.

M Los turistas de California _____**piden**_____ más toallas.

1. Una señora y yo _____ jabón.

2. También, yo _____ unas tarjetas postales.

3. El Sr. Bedoya _____ dos mantas.

4. Dos muchachas y yo _____ almohadas.

5. La Sra. Mora _____ otra habitación. ¡Sus hijos hablan mucho y ella no puede descansar!

E. Everyone is talking at once! The hotel clerk cannot hear the requests and is becoming very confused. Help him complete his questions using the correct form of **pedir**.

1. Ustedes _____ más bañeras, ¿no?

2. Tú _____ tres sábanas, ¿no?

3. Las mujeres _____ sillas duras, ¿no?

4. El hombre _____ tarjetas antiguas, ¿no?

5. La mujer alta _____ otros hijos, ¿no?

UNIDAD 7

F. You have made many new acquaintances while on vacation. You want to find someone to play chess with you. Use the correct form of **jugar** to ask your new friends if they play chess. Then use the pictures to help your friends answer your questions.

el tenis	el dominó	el fútbol americano
el fútbol	el baloncesto	el ajedrez

M Arturo y Víctor, ¿ ___**juegan**___ ustedes al ajedrez?

  No, nosotros jugamos al fútbol americano.

1. Carmen, ¿ _____ al ajedrez?

_____

2. Violeta y Dolores, ¿ _____ al ajedrez?

_____

3. Francisco, ¿ _____ al ajedrez?

_____

4. Benito y Celia, ¿ _____ al ajedrez?

_____

5. Armando, ¿ _____ al ajedrez?

_____

Nombre _____

EXPRESA TUS IDEAS

The Explorers' Club members are attending a conference of master explorers. Club members even get to stay in a hotel! Write at least six sentences about what you see in the picture.

_____

_____

_____

_____

_____

_____

_____

_____

Nombre _____

La Página de diversiones

Un crucigrama

Complete the sentences. Write the missing words in the puzzle.

Horizontales

1. Luis —— al tenis.

3. Viajeros a otros países son —— .

7. Siempre me baño con agua —— .

9. Cuando me lavo, uso mucho —— .

11. —— acuesto temprano.

12. Yo —— los modelos de los ejercicios.

13. Tienes que poner una —— en la cama.

14. Primero nos acostamos; luego, nos —— .

Verticales

2. No me gusta mirar el —— moderno.

3. Rita escribe —— postales.

4. Hugo —— despierta a las siete.

5. Puedes subir al techo del hotel en el —— .

6. Son las llaves de mi cuarto. ¡Son —— llaves!

8. —— ponemos los abrigos en el invierno.

10. ¿Traes los libros? No, yo no —— traigo.

¡Hablemos!   Nombre_____

A. Jorge has earned money by washing cars. What does he do with his money? Look at the pictures, then write the missing words on the lines provided.

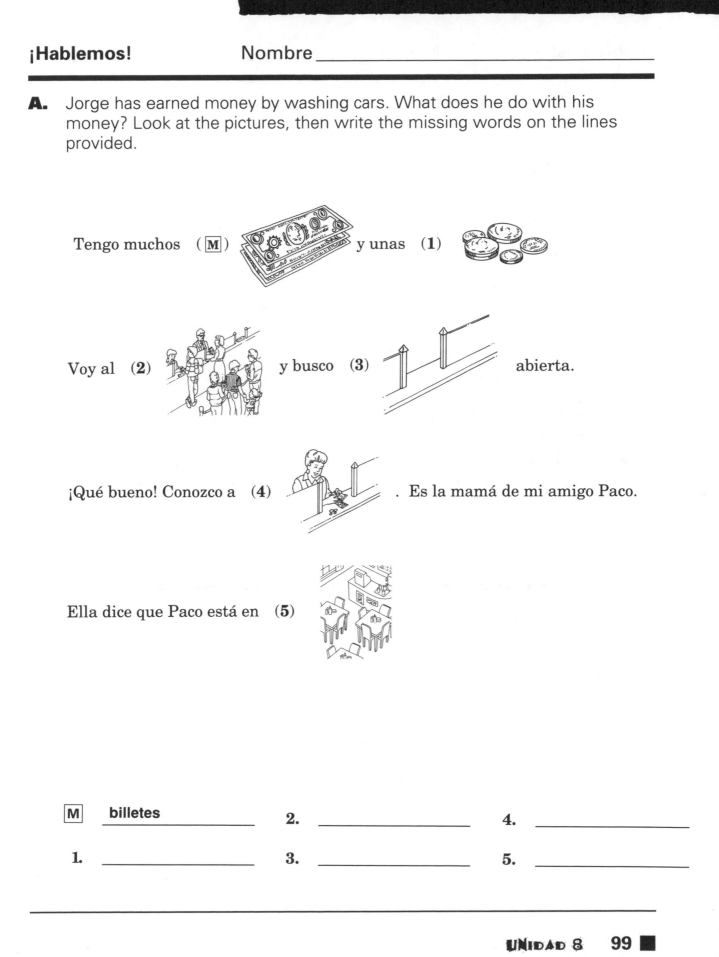

Tengo muchos (M)   y unas **(1)**

Voy al **(2)**   y busco **(3)**   abierta.

¡Qué bueno! Conozco a **(4)**   . Es la mamá de mi amigo Paco.

Ella dice que Paco está en **(5)**

M	**billetes** _____	2. _____	4. _____
	1. _____	3. _____	5. _____

¡Hablemos!   Nombre _____

B.   What do you do in each situation? Underline the right answer.

M Estás fuera de la casa y tienes
hambre. ¿Adónde vas?
   a. Camino al banco.
   b. Corro al aeropuerto.
   c. Voy al restaurante.

1. Estás en el banco. Una ventanilla
    está cerrada. ¿Qué haces?
    a. Pido el menú.
    b. Voy a una ventanilla abierta.
    c. Busco la camarera.

2. Tus amigos acaban de almorzar.
    ¿Qué hacen?
    a. Van a la ventanilla del banco.
    b. Piden monedas y billetes.
    c. Piden la cuenta.

3. Recibes la comida, pero la sopa está
    muy fría. ¿Con quién hablas?
    a. Hablo con el cajero.
    b. Hablo con el piloto.
    c. Hablo con el camarero.

4. La camarera trabaja muy bien. ¿Qué
    haces?
    a. Pongo una propina en la mesa.
    b. Pongo el menú en el piso.
    c. Hago fila en el banco.

C.   Are you a saver or a spender? Look at the amount of money and decide
   whether you will save it or spend it. Use the correct form of **ahorrar** or
   gastar.

M $1.50

Lo gasto. *or* **Lo ahorro.**

1. $5.00

2. $20.00

3. 25¢

4. $100.00

5. $2.75

UNIDAD 8

A. You and some friends are working very hard at your car wash. Laura has offered to bring lunch on her way over. You want to know what Laura is bringing. Complete the questions to your friends. Then look at the pictures and complete their responses. Use **me, te, le, nos,** or **les**.

M Rodolfo, ¿qué _____**te**_____ trae Laura?

    _____**Me**_____ trae _____**pollo**_____ .

1. Ema y Nora, ¿qué _____ trae Laura?

    _____ trae _____ .

2. Señora Otoya, ¿qué _____ trae Laura?

    _____ trae _____ .

3. Guillermo, ¿qué _____ trae Laura?

    _____ trae _____ .

4. Lola y Saúl, ¿qué _____ trae Laura?

    _____ trae _____ .

UNIDAD 8

¿Cómo lo dices?   Nombre _____

B. Why don't people like certain things? Finish their conversations and find
out. Use the correct form of the words in parentheses.

[M]   ANA: Juan, ¿por qué no _____**te gusta**_____ viajar? (gustar)

        JUAN: Porque siempre _____**me duele**_____ la cabeza. (doler)

1.   LIDIA: Diego, ¿por qué no _____ nadar? (gustar)

        DIEGO: Porque siempre _____ las orejas. (doler)

2.   EMILIO: Inés, ¿por qué _____ viajar a tus papás?
                 (gustar)

        INÉS: Porque a ellos _____ conocer a otras personas.
                 (gustar)

3.   CAMARERO: Señora, ¿por qué no _____ la sopa? (gustar)

        SEÑORA: Porque _____ el estómago. (doler)

4.   LUIS: Rita, ¿por qué no _____ los teatros a tu familia
                 y a ti? (gustar)

        RITA: Porque no _____ los asientos duros. (gustar)

5.   CAJERA: Señores, ¿por qué no _____ a ustedes nuestro
                 banco? (gustar)

        SEÑORES: Porque no _____ hacer fila. (gustar)

UNIDAD 8

C. Who does each of these things for you? Write your answers in complete sentences on the lines provided.

M   Estás en la biblioteca. ¿Quién te contesta las preguntas?

La bibliotecaria me contesta las preguntas. _____

1. Estás en el gimnasio. ¿Quién te hace preguntas?

_____

2. Estás en un avión. ¿Quién te pide el billete?

_____

3. Estás en el banco. ¿Quiénes te traen dinero?

_____

4. Estás en un almacén. ¿Quiénes te venden las camisetas y los zapatos?

_____

5. Estás en una agencia de viajes. ¿Quién te vende un billete?

_____

6. Tus amigos y tú están en un restaurante. ¿Quién les trae las hamburguesas?

_____

7. Tus amigos y tú están en la oficina de la escuela. ¿Quién les hace preguntas?

_____

8. Tus amigos y tú están en la enfermería. ¿Quién les contesta sus preguntas?

_____

¿Cómo lo dices?   Nombre _____

D. You are helping Sra. Padilla gather supplies and equipment from people around the school. Sra. Padilla is telling you which items people will give you. Complete each sentence using the correct form of **dar**.

M Las secretarias te _____**dan**_____ unos cuadernos.

1. El Sr. Ibarra te _____ un globo grande.

2. Los cocineros te _____ unos platos de papel.

3. La maestra de ciencias te _____ un termómetro.

4. La bibliotecaria te _____ unas novelas en español.

E. What do people say to you when you come for the supplies? Complete the questions.

M Nosotras te _____**damos**_____ los cuadernos, ¿verdad?

1. Yo te _____ el globo grande, ¿verdad?

2. Nosotros te _____ los platos de papel, ¿verdad?

3. Yo te _____ un termómetro, ¿verdad?

4. Yo te _____ unas novelas en español, ¿verdad?

UNIDAD 8

F.   Gustavo is directing the school play. The actors remember their lines, but they forget to do the actions. Gustavo is reading them his notes on the last act. Write complete sentences using the words that are given.

M   Roberto / le / dar / la mano / Susana

Roberto le da la mano a Susana.
_____

1.   Rita y Adela / le / dar / la maleta / Julia

_____

2.   Julia / les / dar / las gracias / ellas

_____

3.   Tú / le / dar / la maleta / Sr. Ortega

_____

4.   Sr. Ortega / les / dar / la mano / policías

_____

5.   Tú / les / dar / el nombre del taxista / policías

_____

6.   Los policías / le / dar / una sorpresa / taxista

_____

UNIDAD 8

Nombre _____

G. It's your job to give away the following items to people you know. (You may even give one item to yourself!) Look at each item, then write a sentence telling to whom you are giving it.

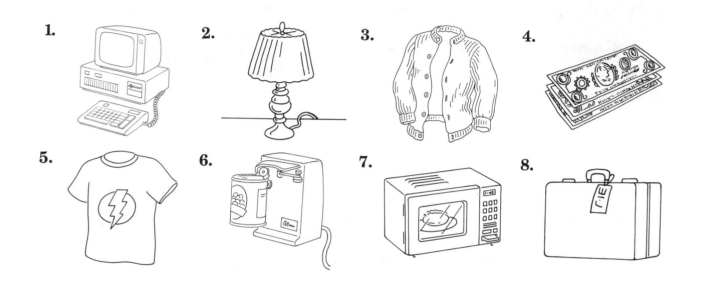

1.   2.   3.   4.

5.   6.   7.   8.

M 1. Le doy la computadora a mi papá.
   2. Le doy la lámpara a mi abuela.

1. _____

2. _____

3. _____

4. _____

5. _____

6. _____

7. _____

8. _____

¿Cómo lo dices?   Nombre _____

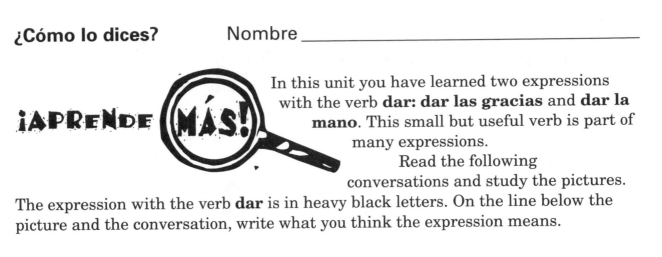

¡APRENDE MÁS!

In this unit you have learned two expressions with the verb **dar: dar las gracias** and **dar la mano**. This small but useful verb is part of many expressions.

Read the following conversations and study the pictures.

The expression with the verb **dar** is in heavy black letters. On the line below the picture and the conversation, write what you think the expression means.

1. JORGE: Iris, ¿cuál te gusta más—el gato grande o el gato pequeño?

   IRIS: **Me da lo mismo.** Me gusta el grande y me gusta el pequeño.

_____

2. TONY: Este vendedor siempre llega a las dos para vender sus aspiradoras.

   ANITA: ¿Qué le haces?

   TONY: **¡Le doy con la puerta en las narices!**

_____

3. MAMÁ: Mi hijo siempre estudia. Lee sus libros a todas horas. **No se da cuenta de que** hay otras personas en la casa.

   AMIGA: ¿Por qué no le escribes una carta?

_____

Nombre _____

La Página de diversiones

El juego del treinta y cuatro

Unscramble the word and write it on the line. Then, find the number of the word in the lists below and write the number in the circle. The sum of each row, across or down, should equal 34. The first word has been done for you.

vancteo ④ _____ centavo	seops ◯ _____	aifl ◯ _____	acroder ◯ _____	34
acejra ◯ _____	atecus ◯ _____	llaitnevna ◯ _____	asopagm ◯ _____	34
unceta ◯ _____	ronpipa ◯ _____	tragsa ◯ _____	ledsaró ◯ _____	34
botarie ◯ _____	rhoarra ◯ _____	nesdoma ◯ _____	nobca ◯ _____	34
34	34	34	34	

1. el **banco**
2. la **cajera**
3. los **dólares**
4. el **centavo**

5. los **pesos**
6. las **monedas**
7. la **propina**
8. la **ventanilla**

9. hacer **fila**
10. **cuesta**
11. **gastar**
12. **ahorrar**

13. la **cuenta**
14. **pagamos**
15. **abierto**
16. **cerrado**

¡Hablemos!   Nombre _____

A. Your family takes a vote to decide where to go this weekend. First, you must have a list of the nominations! Complete each sentence based on the picture.

M   Quiero ir

a la fuente. _____

_____

1.   Quiero ir

_____

_____

2.   Quiero ir

_____

_____

3.   Quiero ir

_____

_____

4.   Quiero ir

_____

_____

5.   Quiero ir

_____

_____

B. Your sister looks at the schedule of events in the newspaper. She reads the possibilities aloud, and then your family votes. Write a sentence telling where your family will go.

1.   Nadie juega en el estadio hoy.
2.   El sábado es el día del mercado al aire libre. Hoy es viernes.
3.   En la plaza hay una fuente, un monumento y un museo.

¿Adónde vamos? _____

UNIDAD 9

C. Your friends have many errands to run today. They are asking for your advice. Use the list to answer their questions.

al zoológico	✓ a la alcaldía	al colegio
el metro	al supermercado	al museo

M   EDUARDO: Tengo que ir a una oficina. Tengo que recoger unos papeles importantes. ¿Adónde voy?

YOU: Tienes que ir **a la alcaldía.** _____

1.   MARÍA: Mi mamá necesita arroz, carne, pan y tortillas. Yo tengo que comprar todo. ¿Adónde voy?

YOU: Tienes que ir _____

2.   RUDY: Para la clase de ciencias, tengo que sacar fotos de tigres, osos y leones. ¿Dónde puedo sacar las fotos?

YOU: Tienes que ir _____

3.   LUPE: Tengo que escribir un reporte sobre el arte antiguo. ¿Adónde voy para ver el arte antiguo?

YOU: Tienes que ir _____

4.   DAVID: Tengo que ir a otra parte de la ciudad. No hay autobús. ¿Cómo voy?

YOU: Tienes que tomar _____

5.   ESTELA: Tengo que ver un amigo en una escuela secundaria. ¿Adónde voy?

YOU: Tienes que ir _____

UNIDAD 9

¿Cómo lo dices?   Nombre _____

A. You want to be a detective someday. You are practicing your skills of
        observation. Record your observations by completing each sentence.

detrás	cerca	a la derecha	sobre
delante	lejos	a la izquierda	afuera

M Una escultura ____**está**____

____**delante**____ del museo.

1. Un hombre y una mujer

    _____

    de la iglesia.

2. Un muchacho y una muchacha

    _____

    de la fuente.

3. Un pájaro _____
    el monumento.

4. El museo _____
    de la iglesia.

5. Dos hombres leen sus papeles.

    Ellos _____
    del monumento.

¿Cómo lo dices?   Nombre _____

B.   You are taking a survey of your friends to find out what they like to do. How do they answer your questions?

M   Darío, ¿te gusta jugar?

Sí, me gusta jugar. ___**Estoy jugando ahora mismo.**_____

1.   Bárbara y Alicia, ¿les gusta comer?

Sí, nos gusta comer. _____

2.   Señor Alcántara, ¿le gusta pintar?

Sí, me gusta pintar. _____

3.   Jaime, ¿a tu hermana le gusta correr?

Sí, le gusta correr. _____

4.   Rosita, ¿a tus hermanos les gusta trabajar?

Sí, les gusta trabajar. _____

C.   What are you doing right now? Write an answer to each question.

M   ¿Estás mirando la televisión?   **No. Estoy estudiando.**_____

1.   ¿Estás tomando una limonada? _____

2.   ¿Estás abriendo la ventana? _____

3.   ¿Estás haciendo planes con tus amigos? _____

4.   ¿Estás jugando? _____

¿Cómo lo dices?   Nombre _____

D. Interview five classmates. Ask them the question **¿Cómo estás?** in the morning and in the afternoon. Do they feel the same in the afternoon as they do in the morning?

Por la mañana

M   **Rodrigo está cansado.** _____

1. _____

2. _____

3. _____

4. _____

5. _____

Por la tarde

M   **Rodrigo está contento.** _____

1. _____

2. _____

3. _____

4. _____

5. _____

¿Cómo lo dices?   Nombre _____

E. Your little brother is trying to find someone to play with him this afternoon, but he isn't having much luck. Write another answer to each of his questions, as in the examples.

M| Mamá, ¿vas a leer la novela?

Sí, la voy a leer.   **Voy a leerla esta tarde.** _____

M| Amanda, ¿vas a hacer los pájaros de papel?

Sí, los voy a hacer.   **Voy a hacerlos esta tarde.** _____

1. Consuelo, ¿vas a estudiar las matemáticas?

Sí, las voy a estudiar. _____

2. Humberto, ¿vas a lavar el coche?

Sí, lo voy a lavar. _____

3. Papá, ¿vas a limpiar los espejos?

Sí, los voy a limpiar. _____

4. Beatriz, ¿vas a comprar la comida para la cena?

Sí, la voy a comprar. _____

5. Abuelito, ¿vas a escribir muchas cartas?

Sí, las voy a escribir. _____

6. Tío Esteban, ¿vas a mirar el programa de televisión?

Sí, lo voy a mirar. _____

F. Every time you try to do something today, someone always asks you why you are doing it. Use the words in parentheses to answer each question.

M ¿Por qué vas a la biblioteca?
(dar unos libros / al bibliotecario)

Tengo que darle unos libros al bibliotecario.

M ¿Por qué quieres hablar con los maestros?
(hacer unas preguntas / a los maestros)

Tengo que hacerles unas preguntas a los maestros.

1. ¿Por qué vas a la enfermería?
(pedir ayuda / al enfermero)

_____

2. ¿Por qué quieres comprar papel bonito?
(escribir cartas / a mis primas)

_____

3. ¿Por qué vas a la cocina?
(preparar el almuerzo / a mis hermanos)

_____

4. ¿Por qué vas a la oficina de tu papá?
(traer sus botas / a mi papá)

_____

5. ¿Por qué vas al almacén?
(comprar un radio / a mi hermana)

_____

UNIDAD 9

G. What are you going to do after school today? Answer each question in your own words.

M　¿Vas a recoger tus cosas?

Sí, las voy a recoger. [Sí, voy a recogerlas.]
_____

1. ¿Vas a contestar las preguntas en español?

_____

2. ¿Vas a mirar un programa de televisión?

_____

3. ¿Vas a planchar tu ropa?

_____

4. ¿Vas a leer tus libros de la biblioteca?

_____

H. What do you do in certain situations? Write a sentence giving the solution to each problem.

M　No comprendes una pregunta en español. ¿Qué tienes que hacer?

Tengo que pedirle ayuda al maestro. [Tengo que hacerle una pregunta.]
_____

1. Estás de vacaciones. Tus amigos quieren recibir unas tarjetas postales. ¿Qué tienes que hacer?

_____

2. La bibliotecaria necesita tus libros. ¿Qué tienes que hacer?

_____

Nombre _____

◼️▦▧ EXPRESA TUS IDEAS ▨▨▷

The Explorers' Club members are planning a trip to Ciudad Hermosa. Each member of the club is signing up for a task. What is their planning meeting like? Read the notes from the meeting and write a conversation of at least four questions and answers.

lunes:	Hacer preguntas al agente de viajes – *Luis*
	Comprar un mapa de Ciudad Hermosa – *Rita*
martes:	Lavar las camisas del club – *Paco*
	Estudiar el mapa de la ciudad – *Rita*
miércoles:	Planchar las camisas del club – *Paco*
jueves:	Escribir una lista de actividades – *Rita*
	Hablar con el director del museo – *Srta. aventura*
viernes:	Comprar sándwiches en el supermercado – *José*
	Lavar el coche de la Srta. Aventura – *Berta y ana*
sábado:	Hacer el viaje a la ciudad – *Todos*

_____

_____

_____

_____

_____

_____

_____

_____

_____

_____

Nombre _____

La Página de diversiones

Busca las diferencias

Ciudad Hermosa is a big city. It even has two big plazas—Plaza Central and Plaza Colón. Write several sentences about the differences between the two plazas.

_____

_____

_____

_____

_____

_____

Unidades 7–9   Nombre _____

A. Whenever you go anywhere with your little sister Hortensia, she always has lots of questions. Write an answer to each question based on what you see in the picture.

M P: ¿Qué te da la cajera?

   R: __**Ella me da unas monedas.**__

1. P: ¿Qué le dan los hombres al cajero?

   R: _____

2. P: ¿Qué nos da primero el camarero?

   R: _____

3. P: Después de comer, ¿qué le das al camarero?

   R: _____

4. P: Antes de salir del restaurante, ¿qué nos da la camarera?

   R: _____

B. Your friend Julio wants to meet Carla, a new girl at school, but he's shy!
Complete the conversation by writing the correct word in each space.

YOU: ¿Conoces a Carla Enríquez?

JULIO: No, pero quiero ___**conocerla**___ .

YOU: ¿Por qué no _____ pides ayuda con la lección de
matemáticas?

JULIO: ¡Buena idea! ¡Voy a _____ ayuda! Pero soy muy tímido. Por
favor, habla con ella primero.

YOU: ¿Yo? Yo no puedo _____ . Yo no _____ conozco
tampoco.

CARLA: ¡Hola, muchachos! El sábado es el día de mi cumpleaños. Quiero

_____ a mi fiesta.

JULIO: ¡Fantástico! ¿Tú _____ quieres invitar a nosotros?

CARLA: ¡Claro que sí! Todos mis amigos _____ van a dar muchas

cosas bonitas. A mí _____ gusta recibir cosas bonitas que
cuestan mucho dinero. ¡Hasta luego!

JULIO: ¡Ay! ¿Qué hago con Carla? No tengo dinero. Ahora, no _____
quiero conocer.

Unidades 7–9   Nombre _____

c. Imagine that you're entering a short-story contest sponsored by the Jardín Zoológico. The winner gets to feed the lions for a week! Look at the picture and write a story with at least five sentences about Sara, Juan, and Raúl. If you need to, use the questions to get started.

_____

_____

_____

_____

_____

_____

¿Dónde están los tres amigos?   ¿Cómo están Sara y Juan?

¿Están caminando o descansando?   ¿Dónde está la fuente?

¿Cómo está Raúl? ¿Está nervioso?   ¿Qué está mirando Raúl?

REPASO

Nombre _____

D. You and your family just won a week's vacation at Hotel Buen Descanso. What will you do while you're there? Complete each sentence with the correct form of the word in parentheses.

[M] Todos ___pedimos___ una almohada blanda y una ducha caliente. (pedir)

1. Mi hermano y yo _____ jugar al volibol en la playa. (querer)

2. Yo _____ temprano cada mañana. (almorzar)

3. Luisa siempre quiere almorzar a las once y media, pero nosotros _____ más tarde. (almorzar)

4. Mis padres _____ unas toallas y unas sábanas. (pedir)

5. Mis hermanos y yo _____ al tenis dos días a la semana. (jugar)

6. Mis hermanos _____ después de bañarse. ¡Tienen hambre! (almorzar)

7. Hace fresco por la noche. Todos _____ más mantas. (pedir)

8. Mis papás _____ al tenis por las tardes. (jugar)

E. At Hotel Buen Descanso, your family's daily routine is different from the one at home. Write five sentences about everyone's new routine. Use the correct form of the words in the list.

acostarse	dormirse	ponerse la ropa
bañarse	lavarse el pelo	secarse
despertarse	peinarse	quitarse la ropa

[M] Todos los días me despierto muy tarde. Mis hermanos se despiertan tarde también.

_____

_____

_____

¡Hablemos!   Nombre _____

A. Your friend Rogelio has lost Sultán, his dog. You and two other friends have offered to help search for the dog. Rogelio has drawn a map for you to follow. Complete the sentences based on the map.

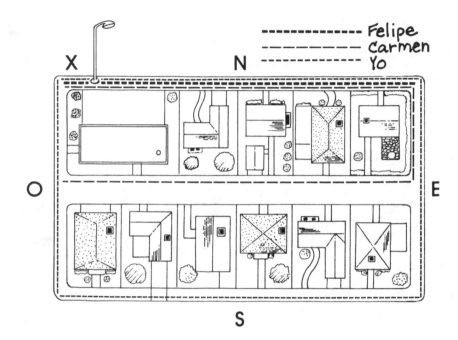

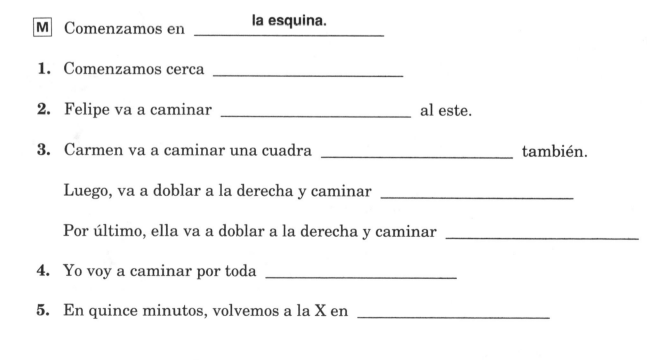

M Comenzamos en _____la esquina._____

1. Comenzamos cerca _____

2. Felipe va a caminar _____ al este.

3. Carmen va a caminar una cuadra _____ también.

   Luego, va a doblar a la derecha y caminar _____

   Por último, ella va a doblar a la derecha y caminar _____

4. Yo voy a caminar por toda _____

5. En quince minutos, volvemos a la X en _____

¡Hablemos!   Nombre _____

B. You are taking your little sister for a walk. How do you answer her questions? Use the pictures.

M   ¿Cómo va el autobús?

El autobús va despacio.

1. ¿Dónde nos queda el restaurante?

_____

2. ¿Cómo van los automóviles?

_____

3. ¿Dónde nos queda el cine?

_____

4. ¿Por dónde tenemos que caminar ahora?

_____

¡Hablemos!   Nombre _____

C.   Ricardo has written some safety tips. Help him complete them. Use the list.

de peatones	√ el farol	te pierdes
muy despacio	una cuadra	la manzana
te encuentras	la esquina	muy rápido

M   **El farol** _____ nos da la luz en la calle.

1.   Si _____ y no sabes dónde estás, puedes pedirle ayuda a un policía.

2.   Tienes que usar el paso _____ para cruzar la calle.

3.   Tienes que mirar a la derecha y a la izquierda porque los coches van

     _____

4.   Si _____ con un amigo en la ciudad, habla con él en la esquina, no en la calle.

5.   De una esquina a otra esquina es _____

THINK FAST!

How quickly can you complete these sentences?

1.   Los Estados Unidos queda _____ del Canadá.

2.   Portugal queda _____ de España.

3.   México queda _____ de la América Central.

4.   Puerto Rico queda _____ de Cuba.

A. Some people, like Lucía, are naturally bossy. When the teacher leaves the room, Lucía loves to take over. Write the correct form of the word to complete her commands.

M. Manuel, ¡ _____**contesta**_____ la pregunta!
              (contestar)

1. Estela, ¡ _____ el dibujo en la pared!
                  (mirar)

2. Diego, ¡ _____ tu nombre en la pizarra!
                  (escribir)

3. Francisco, ¡ _____ la primera oración!
                      (leer)

4. Isabel, ¡ _____ al escritorio de la maestra!
                  (caminar)

5. Gerardo, ¡ _____ los pupitres!
                    (limpiar)

6. Beatriz, ¡ _____ a la puerta!
                    (correr)

THINK FAST! ∿∿∿∿∿∿∿∿∿∿∿∿∿∿∿

Underline the correct sentence.

¿Qué le dice el papá a su hija?:

¡Corre a la cocina!

¡Come las legumbres!

¡Abre la puerta!

¿Cómo lo dices?   Nombre _____

B.   When Lucía gets home, her younger brothers and sisters get the benefit of her natural bossy talents! Complete her commands.

M   CARLOTA: ¡No me cepillo los dientes!

LUCÍA: Carlota, _**¡cepíllate los dientes!**_____

1.   DANIEL: ¡No me quito los zapatos!

LUCÍA: Daniel, _____

2.   PABLO: ¡No me lavo las manos!

LUCÍA: Pablo, _____

3.   GLORIA: ¡No me baño!

LUCÍA: Gloria, _____

4.   INÉS: ¡No me lavo y no me seco la cara!

LUCÍA: Inés, _____

5.   CARLOS: No me peino. ¡No me cepillo los dientes tampoco!

LUCÍA: Carlos, _____

THINK FAST! ∿∿∿∿∿∿∿∿∿∿∿∿∿∿∿

If you were writing this advertisement, what command would you use?

_____

_____

¿Cómo lo dices?   Nombre _____

C. Imagine that you write an advice column. You have received the following letters. What advice do you give the letter writers?

> ¡Hola!
>
> A mí me gusta el frío. A mi hermano le gusta el calor. Yo siempre abro la ventana pero él la cierra. ¿Qué hago?
>
> Alma Ventana

_____

_____

_____

> ¡Hola!
>
> Tengo que leer dos libros este fin de semana. No quiero leerlos. Quiero ir al cine con mis amigos. También quiero ir al museo y jugar al fútbol. ¿Qué hago?
>
> Pedro Juegamucho

_____

_____

_____

> ¡Hola!
>
> A mí me gusta llevar mi chaqueta favorita todo el tiempo. Siempre tengo buena suerte cuando llevo mi chaqueta. Mi mamá me dice —"¡Quítate la chaqueta en la casa! ¡Nosotros no vivimos en un estadio!" ¿Qué hago?
>
> Juan Llévalo

_____

_____

_____

¿Cómo lo dices?   Nombre _____

D.   Your dog ate the labels for your pictures. You have written new ones, but
you still have to match the labels to the pictures. Draw lines to connect
them.

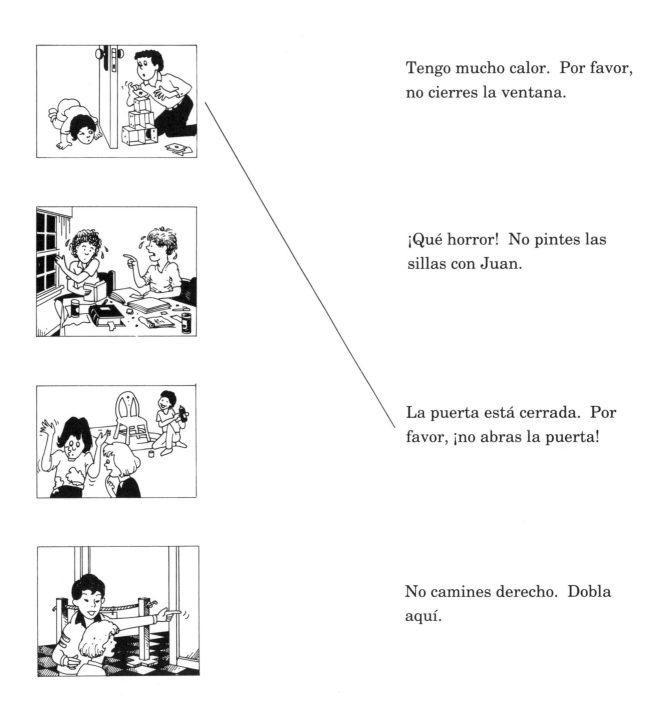

Tengo mucho calor. Por favor,
no cierres la ventana.

¡Qué horror! No pintes las
sillas con Juan.

La puerta está cerrada. Por
favor, ¡no abras la puerta!

No camines derecho. Dobla
aquí.

¿Cómo lo dices?   Nombre _____

E.   Sra. Fuentes is having a hard time teaching her students at the day care center. She needs your help. Use the words in parentheses to complete the sentences.

M   ¡Ay, Paquito! No puedes hablar y comer a la misma vez.

¡No _____**hables**_____ con un sándwich en la boca!   (hablar)

1. ¡Ay, Adriana! Tenemos que caminar despacio en el paso de peatones.

¡No _____ ! (correr)

2. ¡Ay, Luisito! Todos tenemos mucho frío.

Por favor, ¡no _____ la ventana! (abrir)

3. ¡Ay, Carmencita! Puedes dibujar en el papel.

Por favor, ¡no _____ en la puerta! (dibujar)

4. ¡Ay, Ramoncito! Tenemos que bajar las escaleras.

¡No _____ las escaleras! (subir)

5. ¡Ay, Sofía! Hay una fuente de agua en el pasillo.

¡No _____ el agua de los peces! (tomar)

6. ¡Ay, Carlitos! Tienes un bolígrafo nuevo.

¡No _____ con los dedos en el jugo de tomate! (escribir)

UNIDAD 10

F. You just moved into a brand-new house with brand-new furnishings. While your parents are at the grocery store, all the neighborhood children come to visit! You must stop them from making a mess in the house. Use words or phrases from each list to write sentences telling them what not to do.

Students' sentences will vary. You may wish to use some of the commands given below as additional models.

caminar	el perro	en la sala
escribir	el agua	de mis papás
tomar	la puerta	con tu perro
comer	la computadora	en los dormitorios
subir	en la alfombra	en la bañera
abrir	muy rápido	del fregadero
usar	las escaleras	al balcón
correr	la sandía	con las botas sucias
lavar	en las paredes	del despacho

M **No tomes el agua del fregadero.**

1. _____

2. _____

3. _____

4. _____

5. _____

6. _____

7. _____

8. _____

¿Cómo lo dices?　　　Nombre _____

G. Design your own poster with a message. Make a drawing and then write the message.

comer dulces
correr en el paso de peatones
correr en los pasillo de la escuela
hablar durante una película
tomar café

caminar en el techo
bajar las escaleras muy rápido
comer durante las clases
gastar dinero
caminar por las calles

¿Cómo lo dices?   Nombre _____

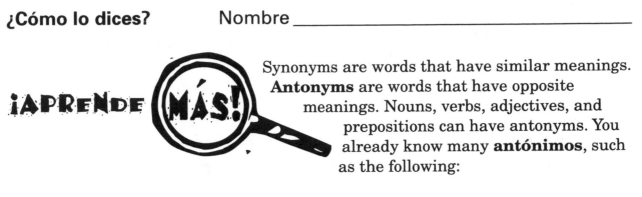

Synonyms are words that have similar meanings. **Antonyms** are words that have opposite meanings. Nouns, verbs, adjectives, and prepositions can have antonyms. You already know many **antónimos**, such as the following:

día—noche	subir—bajar	blanco—negro	adelante—atrás
menos—más	caminar—correr	grande—pequeño	cerca—lejos

In the lists below are words you know. For some, you already know the antonym. For others, you may have to find the antonym in a Spanish-English dictionary. The first one has been done for you.

Palabra	Antónimo	Palabra	Antónimo
1. ahorrar	gastar	9. cómico	_____
2. rápido	_____	10. detrás de	_____
3. acostarse	_____	11. lavarse	_____
4. fuerte	_____	12. limpio	_____
5. debajo de	_____	13. con	_____
6. escribir	_____	14. hablar	_____
7. buscar	_____	15. izquierda	_____
8. generoso	_____	16. ponerse	_____

Nombre _____

La Página de diversiones

Un juego de modismos

How sharp are your detective skills? On this page there are five expressions and illustrations. First, read the sentences with the expressions. (The expressions, or **modismos,** are in heavy black type.) Then look at the pictures. When you think an expression matches a picture, write the number of the sentence in the blank to the right of the picture.

1. **A lo lejos,** podemos ver las montañas.  _____

2. **¡Cuidado con** el tráfico!  _____

3. Paula va a llegar **dentro de poco.**  _____

4. Les **hace falta** la práctica. _____

5. **Tengo ganas** de comer un helado.  _____

¡Hablemos!   Nombre _____

A. You are helping the Sánchez family with their garage sale. Whenever a customer is interested in something, you ask Sra. Sánchez how much it costs. Complete each question.

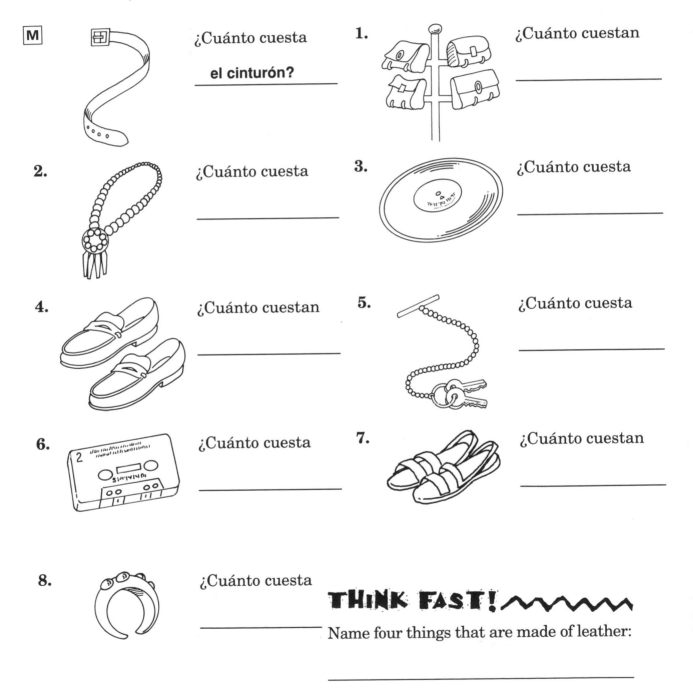

M   ¿Cuánto cuesta

el cinturón? _____

1.   ¿Cuánto cuestan

_____

2.   ¿Cuánto cuesta

_____

3.   ¿Cuánto cuesta

_____

4.   ¿Cuánto cuestan

_____

5.   ¿Cuánto cuesta

_____

6.   ¿Cuánto cuesta

_____

7.   ¿Cuánto cuestan

_____

8.   ¿Cuánto cuesta

_____

THINK FAST! ∿∿∿∿

Name four things that are made of leather:

_____

_____

¡Hablemos! Nombre _____

B. Your friend Susana likes to play detective. Her family is at the shopping mall, and she is busily checking their activities. Answer each of her questions.

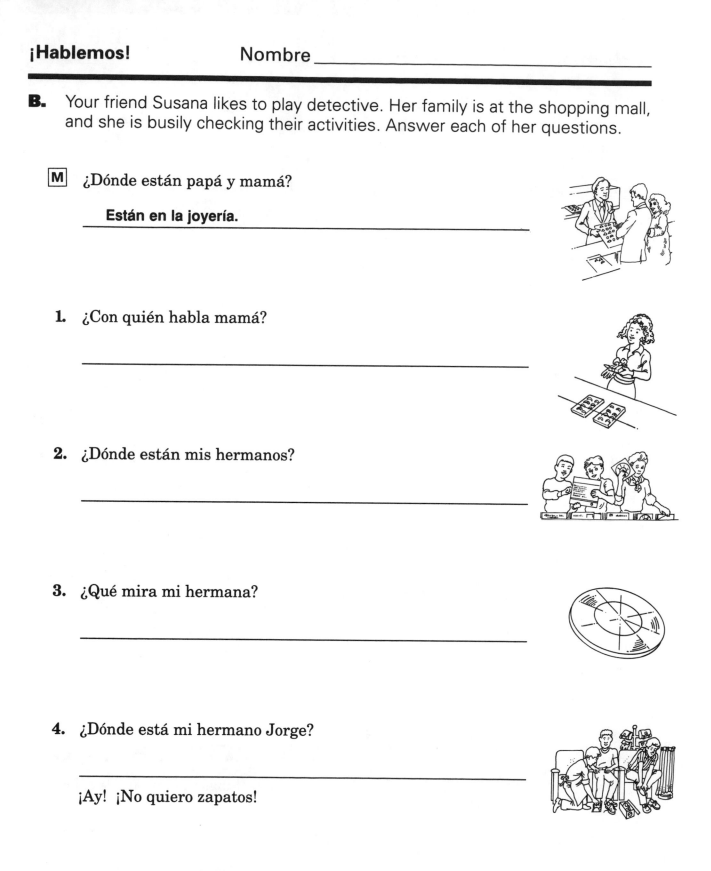

M ¿Dónde están papá y mamá?

___**Están en la joyería.**_____

1. ¿Con quién habla mamá?

_____

2. ¿Dónde están mis hermanos?

_____

3. ¿Qué mira mi hermana?

_____

4. ¿Dónde está mi hermano Jorge?

_____

¡Ay! ¡No quiero zapatos!

¡Hablemos!   Nombre _____

C. Humberto does not like to go shopping. He prefers to read the advertisements and check the prices before he sets foot in a store. He would like your opinion on several items. Tell him to either buy or not buy each item, and why. Follow the models.

| M | El casete de mis canciones favoritas cuesta cinco dólares. |

    ¡Compra el casete! Es barato. _____

| M | Un par de zapatos blancos cuesta cincuenta dólares. |

    ¡No compres los zapatos! Son caros. _____

1. Una bolsa grande cuesta treinta y cinco dólares.

    _____

2. Un collar de joyas cuesta cien dólares.

    _____

3. Un par de sandalias cuesta ocho dólares.

    _____

4. Un brazalete de plástico cuesta tres dólares.

    _____

5. Un disco de canciones mexicanas cuesta seis dólares.

    _____

6. Un cinturón negro cuesta once dólares.

    _____

Nombre _____

A. You missed your cousin's party yesterday. You want to know what everyone did at the party. Write the answer that each person gives you.

[M] P: Enrique, ¿bailaste ayer?

R: **No, no bailé. Ayer canté.**

1. P: Enrique, ¿cantaron mis primas ayer?

R: _____

2. P: Tío Alberto, ¿nadaron José y Javier?

R: _____

3. P: Tío Alberto, ¿nadaron tío Alfredo y tú?

R: _____

4. P: Enrique, ¿patinaron Marcos y Tonio?

R: _____

UNIDAD 11

¿Cómo lo dices?   Nombre _____

B. An anonymous volunteer painted Srta. Aventura's garden wall yesterday. She's asking members of your club if they painted it, but no one is taking credit for the good deed. Complete each question with the correct form of **pintar**, then use the words in parentheses to answer the question.

M   ¡Mercedes! ¿ _____**Pintaste**_____ la pared ayer?

(visitar / primos)   **No. Ayer visité a mis primos.** _____

1. ¡Ángel y Andrés! ¿ _____ la pared ayer?

(comprar / casetes)   _____

2. ¡Tania! ¿ _____ la pared ayer?

(lavar y planchar / ropa)   _____

3. ¡Darío! ¿Gustavo y tú _____ la pared ayer?

(caminar / plaza)   _____

4. ¡Patricia! ¿ _____ la pared ayer?

(mirar / televisión)   _____

5. ¡Saúl! ¿Tu amiga Nora _____ la pared ayer?

(montar / caballo)   _____

6. ¡Eva! ¿Lionel y tú _____ la pared ayer?

(pintar / pared)   _____

UNIDAD 11

C. Your sister lost her purse last Wednesday. Now she is trying to retrace her steps. Complete each sentence telling what she did.

M   El miércoles pasado _____**caminé**_____ a la casa de Consuelo.
(caminar)

1. Luego, ella y yo _____ a la joyería.
(caminar)

2. Yo _____ un collar y ella _____ un
(comprar)   (comprar)

llavero.

3. Ella me _____ al cine.
(invitar)

4. Yo _____ dulces y nosotras _____ la película.
(comprar)   (mirar)

5. Después de la película, ella _____ a su casa y yo
(caminar)

_____ el autobús a la biblioteca.
(tomar)

6. Yo _____ dos horas en la biblioteca.
(pasar)

7. _____ un poco y también _____ con
(estudiar)   (hablar)

Eduardo.

8. Eduardo y yo _____ limonadas en un restaurante.
(tomar)

¡Él es tan simpático e interesante!

UNIDAD 11

¿Cómo lo dices?   Nombre _____

D. Sr. Candelas always interrogates his family after they have gone shopping. His motto is "A penny saved is a penny earned." Complete each question and answer by writing the correct form of **pagar**.

M RUDY: ¡Mira, papá! ¡Mamá me compró zapatos y un cinturón!

    PAPÁ: ¿Cuánto _____**pagó**_____ ella?

    RUDY: _____**Pagó**_____ treinta y cinco dólares.

1. ELSA: ¡Mira, papá! Compré un disco de Los Roleros.

    PAPÁ: ¿Cuánto _____?

    ELSA: _____ once dólares.

2. SAÚL: ¡Mira, papá! Ana y yo le compramos un collar a mamá.

    PAPÁ: ¿Cuánto _____ ustedes?

    SAÚL: _____ veintidós dólares.

3. RITA: ¡Mira, papá! Compré una bolsa y unas sandalias.

    PAPÁ: ¿Cuánto _____?

    RITA: _____ veintisiete dólares.

4. HUGO: ¡Mira, papá! Mamá te compró un regalo.

    PAPÁ: ¿Cuánto _____ ella?

    HUGO: ¡_____ miles de dólares!

    PAPÁ: ¡Caramba!

    HUGO: ¡Mentiras! No te voy a decir el precio.

¿Cómo lo dices?   Nombre _____

E. You and your friends went on a field trip yesterday. Your friend Jeremías couldn't go. Now he wants to know all about it. Write the questions he asks.

M P: __**¿A qué hora llegaron al museo?**__

   R: Llegamos al museo a las diez de la mañana.

1. P: _____

   R: Sí, saqué muchas fotos.

2. P: _____

   R: No, Elena y Barnardo no sacaron fotos.

3. P: _____

   R: Elena y Bernardo jugaron a los juegos electrónicos.

4. P: _____

   R: Almorzamos en el comedor del museo.

5. P: _____

   R: Cerraron el museo a las cinco.

THINK FAST! ∿∿∿∿∿∿∿∿∿∿∿∿∿∿

How well do you remember what you did yesterday?

1. ¿Jugaste a un deporte? _____

2. ¿A qué hora almorzaste? _____

3. ¿A qué hora te despertaste? _____

4. ¿A qué hora te acostaste? _____

¿Cómo lo dices?   Nombre _____

F. Choose a day in the recent past and describe your activities. Write at least six sentences. If you need help, read and answer the questions.

¿Te despertaste temprano o tarde?

¿Llegaste a tiempo a la escuela?

¿Con quién almorzaste?

¿Qué pensaste hacer?

¿Compraste algo? ¿Cuánto pagaste?

¿Jugaste con tus amigos o tus amigas?

¿Sacaste la basura de la casa?

¿A qué hora te acostaste?

_____

(título)

_____

_____

_____

_____

_____

_____

_____

Vamos a leer   Nombre_____

Sometimes you can tell by an advertisement if a store's merchandise is of good or poor quality. Examine the following advertisements. In which store would you expect to find items of quality? In which store would you expect to find items of average or poor quality? What clues did you use from the advertisements themselves to reach your conclusions?

¡Gana en precio!
¡Triunfa en calidad!

MUEBLERÍA CENTRAL

¡AHORA $$$$!

¡No pagas ni un centavo hasta el próximo año!
¡Tenemos que vender todo!

Sofás   Sillones   Mesas
Estantes   Tocadores   Camas

Para los regalos especiales. . .
la tienda de preferencia
es

JOYERÍA TROPICAL

Brazalete de esmeraldas y diamantes | Collar de oro de 18 quilates

*Hable con nuestro joyero experto
Sr. Alejandro Quiñones*

_____

_____

_____

_____

_____

Nombre _____

✏️ EXPRESA TUS IDEAS ✏️

Señorita Aventura's birthday is tomorrow. The Explorers' Club members are meeting at Rita's house to show off the gifts they bought. What is their conversation like? Write a conversation based on what you see in the picture.

_____

_____

_____

_____

_____

_____

_____

_____

_____

Nombre _____

La Página de diversiones

¿Quién tiene la culpa?

Someone broke a window in the school yesterday. Sra. Estricta, the school principal, says that she heard the window break at 4:00. When she looked out the window, she didn't see anyone.

Look at the pictures and write what the suspects say they are doing. Then write the name of the person you think broke the window.

Julia: __Yo colgué la__

__ropa en mi ropero.__

Hugo: _____

_____

Diego: _____

_____

Carmen: _____

_____

Delia: _____

_____

Ricardo: _____

_____

¿Quién tiene la culpa? _____

_____

¡Hablemos!   Nombre _____

A. You and your family have never been to the ocean. When your aunt invites
you to visit her on the Pacific coast, you have lots of questions. How does
she answer your questions? Use the pictures.

M ¿Qué necesitamos para ir a la playa?

Necesitan una sombrilla. _____

1. ¿Qué necesitamos llevar a la playa?

_____

2. ¿Qué podemos hacer en el océano?

_____

3. ¿Qué podemos hacer en la playa?

_____

4. ¿Qué vamos a ver en la playa?

_____

¡Hablemos!   Nombre _____

B. Catalina is writing a letter to her friend Marta about her first trip to the ocean. Help her finish the letter by writing a word from the list in each blank.

una toalla	el salvavidas	✓ la playa	la crema de broncear
bronceada	tomé el sol	flotando	la arena
barco de vela	acuático	quemado	una concha

¡Hola, Marta!

¡Me encanta ir a _____**la playa**_____! Estoy muy

_____ porque ayer _____ .

Usé _____ . Carlos no la usó. Hoy le duele

mucho la espalda porque está muy _____ .

Cuando hace viento, me encanta pasear en

_____ . También me encanta hacer castillos

de _____ . Hoy Carlos pasó una hora

_____ sobre las olas. Yo te voy a dar

_____ . Encontré una muy bonita en la playa.

¡Nos vemos pronto!

Catalina

UNIDAD 12

¿Cómo lo dices?   Nombre _____

A. You are making a study of how much time it takes to get from one place to another, because you are trying to convince your parents that you need a bicycle! Complete each sentence by using the correct form of **salir**.

[M] Ayer _____sali_____ de la casa a las ocho y llegué a la escuela a las ocho y media.

1. Ayer Rosita _____ de su casa a las ocho y llegó a la escuela a las ocho y cuarto. (¡Ella tiene una bicicleta vieja!)

2. Ayer Adán y Pepe _____ de su casa a las ocho y llegaron a la escuela a las ocho y siete. (Ellos tienen bicicletas nuevas.)

3. Por la tarde, yo _____ de la escuela a las tres y media. Llegué al supermercado a las cuatro menos quince.

4. Compré helado para la cena y _____ del supermercado. ¡Llegué a la casa con helado caliente!

5. Donaldo también compró helado y _____ del supermercado en su bicicleta. Él llegó a su casa con helado frío.

6. Ayer también Luis y yo _____ de la casa y caminamos al cine. Llegamos muy tarde para ver la película.

UNIDAD 12

Nombre_____

B. Manuela is a hall monitor who takes her job very seriously. You and your friends always do your best to cooperate with her. Use the words in parentheses to write the questions she asks. Then write what your friends answer.

    M (David / volver tarde del comedor)

       P: David, ¿volviste tarde del comedor?

       R: No, no volví tarde del comedor.

1. (Eugenia / correr por el pasillo)

_____

_____

2. (Ricardo y Samuel / salir temprano de la escuela)

_____

_____

3. (Adriana y Berta / correr a la biblioteca)

_____

_____

4. (Alejandro y Julián / volver tarde del gimnasio)

_____

_____

5. (Julieta / volver tarde al salón de clase)

_____

_____

¿Cómo lo dices?   Nombre _____

C. What did you and your friends do last week? Answer each question with **sí** or **no**, and then cross out one of the faces to show how you feel.

M ¿Escribiste una carta la semana pasada?

No, no escribí una carta la semana pasada.

1. ¿Tus amigos y tú comieron helados la semana pasada?

2. ¿Aprendiste a bucear?

3. ¿Recibiste un regalo la semana pasada?

4. ¿Barriste el piso con una escoba?

5. ¿Tus amigos y tú volvieron a tu casa después de clase?

6. ¿Tus amigos y tú se perdieron la semana pasada?

¿Cómo lo dices?   Nombre _____

D. What did you and members of your family do one day last weekend? Choose a day and write three sentences describing what you did in the morning, and three more describing what you did in the afternoon.

abrir	correr	escribir	doler	aprender
barrer	recibir	volver	salir	beber

Por la mañana

1. _____

_____

2. _____

_____

3. _____

_____

Por la tarde

4. _____

_____

5. _____

_____

6. _____

_____

¿Cómo lo dices?   Nombre _____

E. You had a great day at the beach. Now you're showing friends the pictures you took that day. Write **este, ese, aquel, esta, esa,** or **aquella** to complete each sentence describing the picture.

M

_____ Esta chica se llama Iris.

1.

_____ chico se llama Raúl.

2.

_____ sombrilla es de mi amiga.

3.
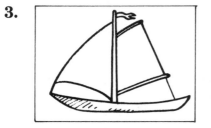
_____ barco de vela está cerca.

4.

_____ chica está muy lejos.

5.

_____ chica está flotando.

6.

_____ lancha es moderna.

7.
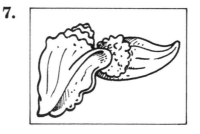
_____ concha es bonita.

8.

_____ chico se llama Víctor.

UNIDAD 12

¿Cómo lo dices?   Nombre _____

F.   You are showing your friends the gifts you bought yesterday. You have them sorted into piles, some near and some far away. Complete each sentence using **estos, esos, aquellos, estas, esas** or **aquellas**.

M   Compré todos ___**estos**___ regalos. (Están muy cerca.)

Compré ___**aquellos**___ anteojos. (Están muy lejos.)

1.   Compré _____ camisetas para Adán. (Están muy cerca.)

2.   Compré _____ libros de México. (No están muy cerca.)

3.   Compré _____ novelas para mamá. (Están muy lejos.)

4.   Compré _____ zapatos azules. (Están muy lejos.)

5.   Compré _____ bolsas para mis tías. (No están muy cerca.)

6.   Compré _____ discos nuevos. (Están muy cerca.)

G.   You and your friends are enjoying a day at the beach. Your friend Inés likes to talk about things that are far away, even when they really aren't! Complete each conversation.

M   INÉS: ¡Mira la lancha!

RUDY: ¿___**Esta**___ lancha que está cerca de nosotros?

INÉS: No, ___**aquella**___ lancha que está muy lejos.

1.   SARA: ¡Mira los caracoles!

INÉS: ¿_____ caracoles que están lejos?

SARA: No, _____ caracoles que están más cerca.

2.   HUGO: ¡Mira las olas!

INÉS: ¿_____ olas que están muy lejos?

HUGO: No, _____ olas que están más cerca.

3.   ANA: ¡Mira al muchacho!

INÉS: ¿_____ muchacho que está muy lejos?

ANA: No, _____ muchacho que está muy cerca.

UNIDAD 12

¿Cómo lo dices?   Nombre _____

H. You are being interviewed for the school newspaper because you've become famous for your artwork. Answer each of the school reporter's questions by using the words in parentheses.

M ¿Para quién pintaste el cuadro de una lancha?

(mi papá) Lo pinté ___**para mi papá.**_____

1. ¿Para qué sirven esos papeles blancos grandes?

(hacer carteles) Sirven _____

2. ¿Para cuándo tienes que completar aquel cartel?

(el sábado) Tengo que completarlo _____

3. ¿Para quiénes pintas tus cuadros y carteles?

(mis amigos y mi familia) Los pinto _____

4. Para qué sirven aquellos lápices?

(escribir) Los lápices sirven _____

5. ¿Para quién pintaste el barco de vela?

(mi maestro de ciencias sociales) Lo pinté _____

6. ¿Para qué escribiste ¡PELIGRO! en este cartel?

(ponerlo en la playa) Lo escribí _____

7. ¿Para quién es el cartel?

(las personas que quieren nadar) Es _____

8. ¿Para cuándo necesitas el cartel?

(este fin de semana) Lo necesito _____

¿Cómo lo dices?   Nombre _____

I.   Your favorite teacher, Sr. Amado, loves to give surprise quizzes. How well
will you do on this one? Use the phrases in the list to answer his questions.
(There are more phrases than answers.)

aprender a bucear	mirar programas de televisión
escribir mis tareas	tomar el sol
quitar el polvo	aprender el español
comprar muchas cosas	cocinar la comida

M   ¿Para qué usas un televisor?

   Lo uso para mirar programas de televisión.

1.   ¿Para qué usas el dinero?

   _____

2.   ¿Para qué estudias *¡Adelante!*?

   _____

3.   ¿Para qué usas un trapo?

   _____

4.   ¿Para qué usas un horno de microondas?

   _____

5.   ¿Para qué usas una toalla en la playa?

   _____

6.   ¿Para qué usas una computadora?

   _____

¿Cómo lo dices?   Nombre _____

 You have learned to recognize cognates and to guess the meanings of words from context. Now it is time to practice. Read the following article from a book titled *¡Empecemos a charlar!* Underline the words you can guess because they are cognates, and circle the words you can guess from context. Finally, make a check mark above the words you look up in a Spanish-English dictionary. When you finish reading, count the number of words in each group. You may be surprised to find that you do not have to look up very many words!

El buceo

Puerto Rico es un lugar ideal para practicar los deportes acuáticos. Como está entre el Atlántico y el Caribe, Puerto Rico tiene muchísimas playas . . . y dos mares por donde se puede pescar y navegar. Además, las aguas cristalinas del Caribe son ideales para el buceo. Puedes observar así una gran variedad de vida submarina y, si llevas tu máquina especial, puedes sacar fotos interesantísimas del coral y de los peces multicolores.

   Los puertorriqueños y los miles de turistas que visitan la isla pueden disfrutar de largos paseos por las playas, el esquí acuático, la pesca, la navegación en barco y el buceo. Como el clima de Puerto Rico es tropical — la temperatura media es de 75°F (24°C) — se puede practicar estos deportes todo el año. Se practican además muchos otros deportes en el país. El golf y el tenis son muy populares, así como lo es el béisbol. Hay muchos sitios donde puedes montar a caballo, ¡incluso puedes montar por la playa!

Nombre _____

La Página de diversiones

Busca las palabras

Read each sentence. Look in the puzzle for the words in heavy **black** letters. Each word may appear across, down, or diagonally in the puzzle. When you find a word, circle it. One has been done for you. The letters that are not circled form two secret words. Write the words in the sentence below the puzzle.

1. **Aquel** letrero dice ¡Se **prohíbe** nadar!

2. Pongo mi toalla sobre la **arena para tomar** el **sol**.

3. A veces hay **peligro** si vas a **bucear** en el mar.

4. **Esa** chica **quemada** navega en el **barco** de **vela.**

5. Primero **salí** del agua, y luego **comí** un helado.

6. ¿Te gusta el **esquí** acuático?

```
Q  P  R  O  H  Í  B  E  A  P
U  S  E  E  S  Q  U  Í  Q  U
E  A  O  L  A  E  C  R  U  P
M  L  T  L  I  O  E  R  E  A
A  Í  E  S  A  G  A  I  L  R
D  V  T  O  M  A  R  E  N  A
A  C  O  B  A  R  C  O  M  Í
```

A muchos turistas les encanta _____ .